CONTOS DE AXÉ

OS AUTORES

AIDIL ARAÚJO LIMA

CARLOS EDUARDO PEREIRA

EDIMILSON DE ALMEIDA PEREIRA

ELIANA ALVES CRUZ

FABIANA COZZA

GEOVANI MARTINS

GIOVANA MADALOSSO

GUSTAVO PACHECO

ITAMAR VIEIRA JUNIOR

JEFERSON TENÓRIO

JULIANA LEITE

LUISA GEISLER

MARCELINO FREIRE

MIRIAM ALVES

NEI LOPES

PAULA GICOVATE

RODRIGO SANTOS

SOCORRO ACIOLI

CONTOS DE AXÉ

18 HISTÓRIAS INSPIRADAS NOS ARQUÉTIPOS DOS ORIXÁS

MARCELO MOUTINHO (ORG.)

malê

Direção: Vagner Amaro & Francisco Jorge

Contos de axé: 18 histórias inspiradas nos arquétipos dos orixás
ISBN: 978-65-87746-53-1
Capa e ilustrações: Antonio Gonzaga
Edição: Vagner Amaro
Revisão: Geisiane Alves
Diagramação: BR75 texto | design | produção

Texto revisado segundo o novo Acordo Ortográfico da Língua Portuguesa.

Dados Internacionais de Catalogação na Publicação (CIP)
(Câmara Brasileira do Livro, SP, Brasil)

Contos de axé : 18 histórias inspiradas nos arquétipos dos orixás / organização Marcelo Moutinho. -- 1. ed. -- Rio de Janeiro : Malê Edições, 2021.

Vários autores.
ISBN 978-65-87746-53-1

1. Contos brasileiros 2. Orixás I. Moutinho, Marcelo.224p.

21-73271 CDD-B869.3

Índices para catálogo sistemático:

1. Contos : Literatura brasileira B869.3

Aline Graziele Benitez - Bibliotecária - CRB-1/3129

2021
Editora Malê
Rua do Acre, 83, sala 202, Centro, Rio de Janeiro, RJ
contato@editoramale.com.br
www.editoramale.com.br

Sumário

"Saravá quem vai embora
Saravá quem vai ficar
Saravá o arco íris...
Salve todos orixás"

Versos do samba-enredo
da GRES Unidos da Ponte, 1973.
Composição de Ivan Zenaide Teixeira

Apresentação

Já há alguns anos alimentava a ideia de escrever um livro de contos inspirados nos arquétipos dos orixás. A perspectiva inicial era de um trabalho solo, com textos criados a partir da mitologia das religiões de matriz africana. Queria tentar iluminar, a partir da ficção e sem pretensões didáticas, essa cultura de admirável força alegórica, mística e literária, que infelizmente costuma ser ignorada no Brasil, embora seja tão definidora de nossa gênese.

O projeto que não tinha prazo acabou ganhando brevidade por algumas razões. A principal delas é o recrudescimento da intolerância religiosa no país, fruto de uma conduta que mistura desconhecimento e patifaria. Desde que passou a receber denúncias, em 2011, o serviço *Disque 100* do Ministério da Mulher, da Família e dos Direitos Humanos tem registrado números crescentes. Nos últimos dois anos, a situação se agravou. Somente no primeiro semestre de 2020, houve um aumento de 41,2% nos relatos em comparação ao mesmo período de 2019. Quando o cotejo é feito com os seis meses iniciais de 2018, o crescimento é de 136% — e essa estatística desconsidera os muitos ataques que não chegam a ter declaração formal. A ampla maioria das violações, como o levantamento oficial deixa patente, atinge os terreiros de candomblé e umbanda.

No referencial livro *Pele negra, máscaras brancas*, o psiquiatra e filósofo Frantz Fanon demonstra como o racismo, para além de tentar promover a inferiorização a partir da cor da pele ou do tipo de cabelo, opera uma destruição simbólica. O processo pode se dar com a depreciação dos ritos, preceitos e conhecimentos de determinada cultura — que passa a se ver inserida no escaninho da selvageria anticivilizatória, gerando o que Fanon chama de "desvio existencial" quanto à própria identidade — ou com o apagamento puro e simples, a violência física. Na quebra do terreiro, o propósito de aniquilação torna-se explícito. Falamos, portanto, de racismo religioso.

Mas a elaboração dessa antologia tem, também, caráter pessoal. Por intermédio do historiador e babalaô Luiz Antonio Simas, nos últimos anos me aproximei do Culto de Ifá. Trata-se de um complexo sistema divinatório baseado na comunicação com Orumilá, orixá da sabedoria e do conhecimento, e em narrativas míticas chamadas de "itãs". Em 2019, cumprindo o primeiro passo no caminho ritualístico da religião, tornei-me Awofakan. A experiência de frequentar o terreiro e de estudar as parábolas contidas nos itãs, ainda que de forma incipiente, me possibilitou um contato mais detido com esse poderoso saber. Uma cosmogonia que não cabe em reduções simplistas.

Decidi, então, transformar o que seria livro individual em antologia coletiva. Tanto no sentido da amplitude geográfica, quanto sob os aspectos de raça, gênero e idade. Os 18 autores aqui reunidos vêm de diferentes partes do país. Do experimental ao registro mais clássico, cada qual desenvolveu um estilo formal próprio. Também com relação ao domínio do tema, buscamos a variedade, colocando lado a lado criadores que têm ligação íntima com as religiões africanas e outros que realizaram sua primeira incursão na matéria para, a partir daí, imaginarem seus contos. Justamente porque a intenção é democratizar esse conhecimento, seja entre aqueles que produzem literatura, seja em meio ao público leitor. No time, há desde nomes já validados por prêmios como o Jabuti, o Oceanos, o APCA e o Biblioteca Nacional a escritores que ainda buscam o devido espaço no meio literário.

Aidil Araújo vive desde criança em Cachoeira, cidade do Recôncavo onde se localizam alguns dos mais antigos terreiros do país. A Bahia está igualmente representada por Itamar Vieira Junior. Socorro Acioli nasceu em Fortaleza (CE), e Edimilson de Almeida Pereira, no município mineiro de Juiz de Fora.

Da capital fluminense, vêm Carlos Eduardo Pereira, Eliana Alves Cruz, Geovani Martins, Juliana Leite e Nei Lopes. O Rio nos traz também Rodrigo Santos, que é oriundo de São Gonçalo e cria da Festa Literária das Periferias, a Flup.

Já a cantora Fabiana Cozza, que faz sua estreia na ficção, mora em São Paulo (SP) — assim como Miriam Alves e Marcelino Freire, este natural de Sertânia, no sertão pernambucano. Gustavo Pacheco tinha residência em Brasília quando escreveu seu conto e hoje, como parte do trabalho de diplomata, vive em Quito, no Equador. O livro reúne ainda Giovana Madalosso, oriunda de Curitiba (PR); Luisa Geisler, natural da cidade gaúcha de Canoas; e o carioca Jeferson Tenório, radicado há muitos anos em Porto Alegre (RS).

A escolha dos orixás coube aos próprios autores. Dadas as variantes na grafia, oriunda da tradição oral, optamos por utilizar a versão aportuguesada em seus nomes. A sequência dos contos obedeceu à ordem do Xirê, a festa sagrada em que as divindades são evocadas em série, a partir de cantigas e toques de atabaque.

Agradeço à editora Malê, pelo entusiasmo ao abraçar a proposta, e aos escritores que aceitaram embarcar conosco. Agradeço também ao já mencionado Luiz Antonio Simas, pelo apoio contumaz, e a Luís Filipe de Lima, músico e iniciado no candomblé, pela fundamental consultoria.

Que os orixás nos protejam, sempre.

Axé!

Marcelo Moutinho
Organizador

EXU

Exu é o patrono da comunicação, da mobilidade e da transformação. Representa o impulso que gera o movimento. Mensageiro dos demais orixás, está ligado intimamente aos caminhos e encruzilhadas, assim como à sexualidade. Cabe a Exu transportar as oferendas do Aiê, o mundo sensível, ao Orum, o mundo espiritual. A teologia nagô considera que todo ser vivo possui um Exu a ele associado, responsável por dinamizá-lo. Conta-se que, apesar de seu lado humano, brincalhão, astuto e provocador, é o orixá mais ético do panteão iorubá, pois é quem vigia nossos atos e cuida para que deles advenham as consequências devidas — positivas ou negativas. É também quem cria obstáculos para que possamos superá-los e progredir. Suas cores são o vermelho combinado com o preto e também um certo tipo de lilás acinzentado.

Crisálida

Gustavo Pacheco

Chamar aquilo de cidade é um exagero. Até que era grande, mas era um lixo. Feia, muito feia. As casas estavam desfiguradas pela ação do tempo, pela falta de cuidados ou pelo mau gosto tão característico do interior do Brasil moderno. Nem a presença do rio São Francisco conseguia trazer algum charme pro lugar. Eu queria ficar lá o mínimo possível.

Deixamos as coisas em uma pensão fuleira. Não havia quarto com banheiro. A moça de óculos de fundo de garrafa da recepção perguntou se éramos casados. Sorrimos os dois ao mesmo tempo e respondi: Ainda não. *Ocupação: Estudante*, escrevi na ficha, e fiquei com vontade de acrescentar: *mas não por muito tempo*.

Eram três da tarde quando saímos. O lugar que tinham nos indicado era um bairro afastado, pouco antes da entrada da cidade. Não era muito longe, mas o sol estava forte. Caminhamos uns vinte minutos ao lado da estrada. Dava pra fritar um ovo naquele asfalto.

O bairro não era grande, umas cinco ou seis ruas de terra batida. Quando chegamos lá, ela olhou pra mim e percebi que estávamos pensando a mesma coisa: ainda dá tempo de voltar. E aí?, perguntei. Bom, ela disse, agora que chegamos até aqui, vamos em frente, né? Fiz que sim com a cabeça e continuamos andando. Eu tinha cortado o cabelo pouco antes de viajar e sentia o vento soprando nas orelhas.

Demos algumas voltas procurando alguém que pudesse nos ajudar. Caminhávamos lentamente, prestando atenção nos poucos rostos que cruzavam conosco. Esse?, ela perguntou baixinho, quando passamos ao lado de um cara magro, sem camisa, com um boné do Corinthians, encostado na parede de uma padaria. Não, esse não, respondi. O cara ficou olhando pra gente depois que passamos e por um momento achei que fosse nos seguir, mas isso não aconteceu.

Pouco depois, vimos dois garotos, cada um montado numa bicicleta enferrujada, uma preta e a outra vermelha. Pela cara, achei que tivessem no máximo uns quinze ou dezesseis anos. Antes de eu puxar conversa, os dois já tinham notado nossa presença e olhavam pra gente, mudos, imóveis, mais com desconfiança do que com curiosidade.

Oi, tudo bem?, eu disse. Passou-se um longo segundo até que o da bicicleta vermelha respondesse, Tudo bem. Eu disse, Vem cá, vocês não sabem onde a gente pode conseguir por aqui um... um... (Não, nenhum dos dois ia completar a frase por mim. Fui forçado a falar.)... um fumo?

Os garotos se entreolharam por um instante e o da bicicleta preta me perguntou, É cigarro que vocês querem?

Foi a nossa vez de se entreolhar, eu e ela. Não, não, a gente tava procurando outra coisa, ela disse.

Passou-se mais um segundo interminável até que o garoto da bicicleta vermelha disse, Ah, vocês tão querendo é maconha, né? É, é sim, eu respondi, aliviado e ressabiado ao mesmo tempo.

O da bicicleta vermelha disse pro outro, Chama ali o Jorginho. O da bicicleta preta saiu rodando. Ficamos os três ali, parados na esquina. Achei que o garoto ia perguntar alguma coisa, mas ele não abriu a boca, ficou olhando pro chão e mexendo no guidom da bicicleta. Quando o silêncio ficou insuportável, eu disse, Calor, né? Ele balançou a cabeça afirmativamente, sem parar de mexer no guidom da bicicleta. Vocês não são daqui não, né?, ele perguntou, me olhando meio enviesado, como se estivesse falando com alguém ao meu lado. Não, somos do Rio, eu respondi. Ele balançou a cabeça de novo, sem tirar os olhos do chão.

Graças a Deus o garoto da bicicleta preta voltou logo, com o Jorginho na garupa. Era um cara de uns trinta e poucos anos, cabelo pixaim e braços musculosos. Opa, ele disse, oferecendo a mão. Apertei a mão dele mecanicamente e me surpreendi com a pressão dos dedos. Ele repetiu o gesto com ela e disse, Então, vocês tão querendo uma massinha, é? É, é sim, eu disse. Tá bom, vem cá comigo, ele disse, indicando com a cabeça um caminho à esquerda. Valeu, hein, eu disse pros garotos. Os dois me olharam com a mesma expressão vazia e o da bicicleta preta murmurou, Beleza, té mais.

Seguimos o Jorginho em silêncio por três quarteirões, até chegar a uma casa de tijolos sem reboco. A porta de entrada da rua dava pra uma salinha abafada onde uma mulher gorda, de cabelo preto escorrido, via televisão deitada num sofá. O Jorginho foi entrando e falando, Opa, opa, e atravessou o corredor em direção aos fundos da casa. Fomos atrás dele com o mais amarelo dos sorrisos na cara, dizendo, Oi, dá licença. A gorda não disse nada, só fez um gesto quase imperceptível com a cabeça como se dissesse, Podem passar, tô pouco me fodendo pra vocês.

Passamos pela cozinha, onde tinha uma porta que dava pro quintal, e chegamos a um quartinho nos fundos. A janela de ferro estava fechada. Jorginho acendeu a luz e disse pra sentarmos no chão e esperarmos.

Ficamos em silêncio, primeiro olhando um pro outro, depois explorando as paredes do quarto. Parece aqueles lugares onde escondem gente que foi sequestrada, olha esse colchonete, ela sussurrou. Era um colchonete de espuma, daqueles bem fininhos, e estava imundo.

O Jorginho voltou com um embrulhinho de papel de pão. Estava acompanhado do cara com o boné do Corinthians, mas não o apresentou. Eu disse, Opa, e o cara respondeu com um ruído ininteligível, sem nenhum sinal de simpatia. Jorginho sentou no chão, abriu o embrulho e colocou na nossa frente um punhado de formas vegetais retorcidas, de cor dourado-escura. A resina faiscava sob a luz da lâmpada de 40 watts. Agarrei um pouco e trouxe pra perto dos olhos. Uma inflorescência maior do que os bigodes do Nietzsche. Pra vocês experimentar, disse o Jorginho, me passando uma folha de caderno escolar.

O fumo era pegajoso. Rasguei uma tira de papel e preparei um baseado fino e comprido. Lambi uma das abas pra dar aderência e fechar, mas o papel se recusava a colaborar. Lambi mais um pouco e o papel afinal grudou. Dobrei as duas pontas, rasguei uma e acendi. O cheiro doce logo encheu o quarto. Fumei, passei o baseado pra ela e sacudi a cabeça pro Jorginho, em sinal de aprovação. Ele deu um sorriso com a metade da boca, se levantou e saiu do quarto junto com o cara com o boné do Corinthians.

O fumo era bom. Depois do terceiro tapa eu já estava doido. Ela olhou pra mim, espreguiçou e disse, sorrindo, A gente é muito maluco mesmo. Eu não disse nada, só senti um quentinho por dentro.

Ficamos em silêncio de novo, por alguns minutos, até que apareceu na porta do quarto um menino de uns seis ou sete anos. Pelado, chupando o polegar. Será que ele era filho da gorda?

Oi, eu disse. O menino ficou me olhando fixamente, sem falar nada. Tudo bem?, eu insisti, oferecendo a mão. Nada. Nenhuma reação. Quando eu já estava começando a me sentir constrangido, ele deu meia-volta e foi embora, sem olhar pra trás e sem parar de chupar o polegar.

Que pinto enorme esse menino tem, ela disse baixinho, rindo.

Logo depois, o Jorginho voltou acompanhado pelo cara com o boné do Corinthians, que carregava um saco preto grande, desses de colocar lixo. Quando ele abriu o saco, deu pra ver que tinha pelo menos uns dez ou doze quilos de maconha ali dentro. Eu nunca tinha visto tanta maconha.

E aí, quanto vocês vão querer?, ele perguntou. Olhei pra ela e nos demos conta, ao mesmo tempo, que não tínhamos pensado nisso. Não sei, eu disse, depende do preço. O Jorginho disse que um quilo custava cento e cinquenta. Mais ou menos o mesmo preço de cem gramas no Rio, eu pensei. Dez vezes mais barato. Fizemos as contas e vimos que tínhamos duzentos na bolsa. Vamos querer um quilo, eu disse. Um quilo?!, disse o Jorginho, incrédulo. Pô, eu tive que desenterrar esse negócio. Leva pelo menos mais um quilo aí, ele disse. Não vai dar, eu respondi, estamos sem dinheiro. E além disso não temos onde guardar, ela disse. Era verdade. No nosso despreparo, tínhamos levado só a bolsinha de mão dela. Era possível que nem mesmo um quilo coubesse ali dentro.

O Jorginho coçou a cabeça, saiu do quarto e voltou com um saco plástico branco, de supermercado. Com as mãos em garra, apanhou grandes punhados de maconha do saco preto e colocou no saco branco. Depois de repetir a operação algumas vezes, olhou concentrado pra dentro do saco branco, sentiu seu peso com a mão direita, colocou mais um punhado de maconha e me passou dizendo, Vê se tá bom.

Mesmo com as faculdades mentais meio distorcidas, não tive dúvidas de que a quantidade de maconha dentro da sacola branca ultrapassava um quilo com folga. Paguei o Jorginho enquanto ela tentava, sem sucesso, socar o saco inteiro dentro da bolsa. Depois foi minha vez de tentar, e também não consegui. Tivemos que deixar a bolsa aberta com um chumaço de plástico branco saindo dela, como se fosse uma borboleta rompendo o casulo. Apertei a mão do Jorginho e agradeci. Achei que você fosse Federal com esse cabelo curtinho, ele disse. O cara com o boné do Corinthians riu, mostrando os dentes cariados. Afinal alguém aqui ri, pensei. E como é que você soube que eu não era?, perguntei. Pelo jeito de você enrolar, respondeu o Jorginho.

Fomos embora passando pela salinha da televisão. Tchau, eu disse, ainda mais sem graça do que na chegada. Dessa vez, a gorda nem fez menção de responder.

Ufa, ela disse quando chegamos à beira da estrada. Soltei um riso nervoso, mas não consegui falar nada. O sol castigava, e não havia nenhuma sombra nem qualquer lugar pra se abrigar num raio de uns dois quilômetros. O plástico branco saindo da bolsa dela brilhava.

Começamos a andar pela margem esquerda da estrada. A essa hora da tarde, quase não passava carro por ali. Quando vi o carro vindo em nossa direção, no início não reparei nada. Depois percebi que o carro tinha luzes giratórias no teto.

Ela não disse nada, só apertou minha mão. A mão dela estava suada. Continuamos andando.

Um quilo de maconha, vai dar trabalho convencer o juiz que isso tudo é pra consumo próprio. Puta merda, pra passar no concurso pra juiz não pode ter antecedentes criminais. Aliás, pra passar no concurso pro Ministério Público também. Pensando bem, isso vale pra quase todos os concursos públicos. Bom, sempre resta a opção de ser advogado. Mas quem vai querer contratar um advogado que foi preso por tráfico? Hmm. Talvez outros traficantes. Caralho, faltam só dois períodos pra eu me formar. Eu podia estar em Búzios. Eu devia estar em Búzios. Eu devia estar em qualquer lugar, menos aqui. Um quilo. Caralho. E essa porra desse plástico branco cintilando. Eu nunca tirei uma nota vermelha, nem na escola, nem na faculdade. Nunca fiquei de recuperação. Passei em décimo primeiro lugar no vestibular. A relação candidato-vaga era treze pra um. Nunca tirei uma nota vermelha, e agora vou me foder. Ótimo. Bom, vou ter que dizer que o fumo é todo meu. Sou um cavalheiro. Apesar da ideia ter sido dela. Apesar dela fazer Letras. Ah, duvido que no concurso pra professor de literatura você tenha que provar que não tem antecedentes criminais. Hmm... professor de literatura. O salário é muito, muito pior que o de juiz. Mas tem trabalhos piores, não dá pra descartar nenhuma opção. A mãe dela vai gostar de me ver em cana, ela nunca gostou de mim mesmo, já tô até vendo ela contando pras amigas no clube, indignada e aliviada, eu sabia, eu sabia que ele não prestava. Ah, deixa, mamãe é assim mesmo, não vale a pena esquentar a cabeça. Uma patricinha cagona, é isso que ela é, ela não quer é comprar briga com a velha por minha causa. Tem o rabo preso, afinal a velha banca o aluguel do apê, a faculdade, tudo. Mas quem sou eu pra falar? De onde tirei a ideia de que queria ser juiz? Não tenho vocação nenhuma pra ser juiz, quem eu tô querendo enganar? Eu também sou um cagão, é isso que eu sou, jamais teria culhão pra condenar nem absolver alguém, eu não consigo nem administrar a minha vida, quanto mais tomar decisões sobre a vida dos outros. Eu sou um cagão, escolhi essa carreira porque tinha medo de sangue e de números, porque tinha medo de ser um fracassado sustentado pelos pais, porque tinha medo de ficar sem emprego. Que tristeza, escolher uma profissão é escolher uma vida, para o bem ou para o mal um ser humano passa a maior parte do seu tempo trabalhando, como é possível que eu tenha escolhido uma profissão por medo, por falta de coragem pra encarar o desconhecido ou, pior ainda, por preguiça de entender a mim mesmo? E agora tô indo em cana e não adiantou nada. Tempo jogado fora. Dinheiro jogado fora. De que adiantou aturar dois semestres de direito tributário, quatro de direito comercial, seis de direito civil? Mas de direito penal eu gosto, sempre fui bom aluno de penal. Para determinar se a droga destinava-se a consumo pessoal, o juiz atenderá à natureza e à quantidade da substância apreendida, ao local e às condições em que se desenvolveu a ação, às circunstâncias sociais e pessoais, bem como à conduta e aos antecedentes do agente. Ou seja, é loteria, se o cara quiser, ele me solta e no máximo eu vou ter que prestar serviços comunitários, ou melhor ainda, pagar umas cestas básicas, e fim de papo. Meus antecedentes são impecáveis. Mas um quilo de maconha é um quilo de maconha. Tráfico de drogas é crime inafiançável, como estupro e latrocínio. Não vou mais poder fazer concurso, mas isso é o de menos, estando fora da cadeia pra mim já tá ótimo, eu faço qualquer coisa. Até dar aulas de literatura. Mas tô me adiantando, nem fui julgado ainda. E até o julgamento tem tempo. Enquanto isso, se o delegado quiser ele me bota na cela sem fiança. A cadeia aqui deve ser quente pra caralho. Será que tem ventilador? Caralho, vão comer meu cu na cadeia e eu tô pensando se lá tem ventilador...

Deu tempo de pensar em tudo isso enquanto o carro se aproximava em câmera lenta. Em algum momento ele ia passar por nós, e esse momento chegou. Mas antes mesmo dele passar, já dava pra ler na lateral: *Secretaria da Fazenda do Estado de Pernambuco — Fiscalização Tributária.* E o carro, lento como veio, lento se afastou de nós, sem pressa para cumprir sua valorosa missão de combater a sonegação fiscal.

Um mês depois, quando eu já tinha terminado o namoro com ela e largado a faculdade, sonhei com aquele menino chupando o polegar. Ele sorria pra mim, flutuando no ar com suas grandes asas de plástico branco.

ORUMILÁ

Orumilá (grafado também Orunmilá) é a divindade iorubá da sabedoria e da adivinhação. Ostenta o título de Eleri Ipin, que quer dizer textualmente "testemunha das escolhas do indivíduo", ou seja, é Orumilá quem toma ciência das escolhas efetuadas pelos espíritos no mundo celeste, antes de reencarnarem, e que deverão ser honradas durante a existência terrena. Orumilá preside o sistema oracular denominado Ifá, orientado por um conjunto de 256 signos. Em diversos mitos, figura como o adivinho a quem os orixás recorrem quando enfrentam qualquer obstáculo. Em algumas tradições do candomblé, Orumilá é cultuado junto aos orixás funfun, isto é, aqueles representados pela cor branca. Seus colares rituais, entretanto, são feitos em geral de contas amarelas entremeadas com verdes ou, ainda, marrons.

Era um pássaro muito grande

Nei Lopes

"Toda pessoa tem o seu destino, bom ou mau. E já entra na vida com um tempo certo pra viver. A não ser que..."

Pai Arabá falava esboçando um sorriso. Dizia que o pouco que sabia devia ao seu padrinho, que era baiano, mas tinha ido à África se aperfeiçoar com os mais velhos de lá. E voltou trazendo todos os "fundamentos", que ele chamava de "Ifá".

"Quem traça o destino é Orumilá. Mas Elegbara, seu criado, também influi. Orumilá é o destino, e Elegbara é o acidente. Um é a certeza; e o outro é a surpresa, o imprevisto..."

Essas afirmações enigmáticas o idoso fazia sabendo que não eram claras, fáceis de entender. E quando o interlocutor ensaiava uma pergunta, ele cortava a conversa, sempre com a mesma contundente frase: "O que já se sabe não se pergunta".

O velho Arabá, que aliás não era tão velho quanto gostaria, implicava com o nome impresso em sua carteira de identidade: "Aramis Batista". Cismava que "Aramis" era nome de mulher, e que o pai nunca explicou a razão de tê-lo registrado assim. Então, por não gostar do nome, criou um cognome, juntando um pedaço do nome a outro do sobrenome: "Arabá". E pronto.

Bem... Isso era o que ele dizia. Mas ninguém sabia se era verdade, pois a vida dele era um grande mistério. Dizia-se que era "espírita". Mas ninguém entendia como era. O certo era que ele tinha ressuscitado Fabiano Farias, o "Fabinho da Grota". E isso fez nascer uma aura de lenda em torno do "macumbeiro".

O próprio "ressuscitado" só veio a ter uma pálida noção do que lhe acontecera no dia em que, já dominando melhor a cadeira de rodas, conseguiu ir à casa dele, na Vila Inhomirim, em Magé, onde nunca tinha estado. Sabia que era no ramal de Petrópolis. Só isso. Mas conseguiu chegar lá, na "Kombi 1958" verde e amarela do Bené, um cara prestativo, pau pra toda obra, a quem agora resolvera ajudar. Mas antes esse tal Fabinho era egoísta, interesseiro, presunçoso, inconformado por ter nascido pobre; e disposto a qualquer coisa por uma "graninha", como dizia. Tudo isso agravado pelo estado em que ficou depois do acontecido. E, sobre o fato, a crença geral era de que ele só estava vivo graças a Seu Arabá. Por isso, já que Bené se queixava de problemas muito difíceis, o cara resolveu levá-lo até o velho. E essa era também a oportunidade de finalmente conhecer o homem que lhe salvara a vida, e que ele nunca tinha visto.

A caminho de Magé, na estrada, Fabinho da Grota narrou pro Bené o que sabia sobre o seu caso. Contou que, então, estava no hospital havia mais de três meses, nas piores condições possíveis, como regra geral na rede pública de saúde. Faltavam as coisas mais simples, como mercurocromo, algodão, gaze e esparadrapo; e a superlotação obrigava pacientes a dormir em cadeiras, e até no chão dos corredores.

Pai Arabá, morando lá "em Deus-me-Livre" — expressão da época —, só fora até o hospital em consideração à avó do rapaz, sua velha conhecida. E não por acreditar, como falavam, que o rapaz estivesse "em lugar impróprio" quando foi alvejado por duas balas "que não lhe eram destinadas"; e muito menos por achar que ele ainda tivesse "muito que fazer no plano terrestre", como diziam alguns kardecistas ingênuos.

O mau elemento fora atingido por dois projéteis, um de fuzil e outro de pistola. O primeiro, segundo um laudo, acertou-lhe a coxa esquerda, dilacerando o fêmur; e o outro foi no braço direito, produzindo dano semelhante no que o doutor chamava de "cúbito". Mas ele conseguiu sobreviver.

De cara, Pai Arabá achou difícil fazer a consulta no hospital. O trabalho, cheio de detalhes, exigia muita calma e concentração. E o ambiente, superlotado, num tumulto brabo, era totalmente desfavorável. Mas tudo acabou se ajeitando, na escuridão da noite — Fabinho relatava o que só soube depois —, iluminado apenas por dois cotocos de velas; e assim a reza começou.

O estado de saúde do paciente era grave; mas ele, segundo contou ao Bené, ainda tinha lampejos de consciência, pressentindo alguma coisa. Não viu, mas soube depois, que Seu Arabá estendeu uma esteirinha num canto do quarto, se agachou, sentou, desembrulhou a bandeja de madeira, pousou-a sobre a esteira, puxou-a para o espaço entre suas pernas abertas, espalhou nela um pó amarelado, sempre olhando na direção da cabeça do enfermo. Feito isso, engrolou uma ladainha numa língua estranha, espargindo no chão gotinhas d'água de uma cuia. Em seguida, encostou na testa do mau-caráter, por duas vezes, uma correntinha dupla com quatro cascas de coquinhos de dendê presas em cada lado. Ato contínuo, atirou delicadamente a corrente, uma vez e mais outra, na bandeja, ao mesmo tempo em que batia nela com a ponta de um pequeno chifre.

Segundo Fabinho, tudo isso acontecia num sonho confuso. Mas, num dado momento, ele viu desenrolar-se, mesmo em fragmentos, uma história estranha, mas com princípio, meio e fim.

Era um grupo de homens de cor, todos de branco, túnicas e gorrinhos, comandados por um mais velho, ajudado por um pretinho. Vinham de longe, amarelados de poeira. Pelo jeito, eram um mestre e seus discípulos, ou um profeta e seus seguidores. Que, para descansar da viagem, pararam ali naquele lugar, debaixo de uma paineira, muito alta e copada, onde o pretinho acendeu uma fogueira; e acamparam.

Todos estavam doentes, inclusive o chefe. Mas este, um pouco melhor que os outros, mandou o pretinho pegar folhas na mata e delas extraiu diversas espécies de poções curativas, que bebeu e deu de beber aos seguidores; além de friccionar os corpos de alguns deles. Só o pretinho, que se chamava Elegbara e tinha uma saúde de ferro, não precisou tomar.

Mas quando todos já começavam a se recuperar, surgiu de dentro da noite uma mulher aterradora. Vestia também uma túnica comprida, mas de cor preta, com um capuz que escondia seu rosto. E tinha na mão uma foice. Apresentando-se como Iku, a Morte, ela anunciou que tinha vindo buscar o grupo, pois estava na hora. Mas o chefe foi irredutível, e com absoluta serenidade disse a ela que a respeitava também como um divindade, pois o ofício dela era aquele mesmo, e lhe fora determinado pela Força Ṣuprema quando da Criação do Universo. Mas que ele também participara da Criação e fora o responsável por estabelecer a "Escala de Valores", aquele ordenamento em que o Bem e o Mal convivem, porque é necessário; mas no qual o Bem está acima de tudo, porque constrói; e o Mal destrói. Disse, mais, que a função dela era lógica, pois tudo na natureza precisava se renovar. Mas que, entre as leis da Criação, existe uma que só permite a ação da Morte quando a pessoa já cumpriu tudo aquilo que lhe foi determinado fazer na Terra. E que, naquele momento, a tarefa dos filhos de Orumilá estava apenas começando.

Iku não se conformou e chamou, nas trevas, todo um cortejo de figuras horrendas e aterrorizantes e indescritíveis, dispostas a levar Orumilá e seus discípulos de qualquer maneira. Ao mesmo tempo, no horizonte, junto com o sol que começava a nascer no oriente, surgia aos poucos uma imensa legião de seres benfazejos...

Nesse momento — Fabinho narrava, como se fosse um filme tipo *Avatar* — desceu do céu uma ave enorme, preta, mas luminosa, abrindo as asas sobre o Mestre e seus discípulos. "Era um pássaro muito grande, muito grande mesmo".

O tal do Fabinho jamais soube, mas a ave era Ifá, o oráculo através do qual Orumilá fala com os seres humanos. Dono de todo o saber e de todo o conhecimento, Orumilá é o segundo depois de Olodumarê, a Força Suprema do Universo. E ante essa presença de pura luminosidade, Iku sumiu na direção do ocidente — como Pai Arabá sabia e depois explicou.

Aí foi que Ifá, antes de voar de volta, entregou a Orumilá dezesseis braceletes de contas verdes e amarelas, para que, com eles, seus discípulos fossem identificados. Desta forma, Iku, vendo as pulseiras, saberia que aquelas pessoas eram da família de Orumilá e por isso tinham que ser poupadas da morte não natural, antes da hora. E assim, por determinação de Ifá, a Morte, Iku, perdeu o poder que tinha sobre todas as vidas humanas.

Na verdade, a versão de que Fabinho da Grota teria sido atingido por duas balas perdidas era uma mentira deslavada. De sua folha penal constavam algumas anotações nada abonadoras.

Além disso, sua inconformidade com a vida de pobre e sua disposição de levar vantagem em tudo, sem nenhum escrúpulo, descartavam o acaso. Mas Bené relevava isso tudo, e não hesitou em voltar com ele a Magé, como naquele dia longínquo, desde o qual já tinham se passado pelo menos uns dez anos.

Dez anos, pelo menos. Um tempo em que todos aqueles acontecimentos foram se apagando, diluídos na poeira de muitos ventos, cada vez mais rapidamente. Até que uma tarde, na oficina, o celular toca e Bené atende. Era ele. Então, depois das saudações, indagações e respostas de costume, e depois de algumas informações vagas, Fabinho disse que também não via o velho Arabá e nem tinha notícia dele havia muito, muito tempo. Disse inclusive que sua vida mudara. E resumiu a mudança:

Num dia de desespero, tinha sido levado a uma igreja onde teve uma "revelação". E era sobre isso que queria falar. Disse que se tornara "crente" e que passou a dar "testemunhos" de seu envolvimento com "práticas demoníacas", depois que ficou aleijado. Com o tempo, foi realmente acreditando nas historinhas que o pastor escrevia e lhe dava para decorar e interpretar diante dos "irmãos". Sua vida, então, se transformou, apesar dos problemas físicos. Os quais, aliás, foram sendo remediados com as próteses que conseguiu importar e implantar na perna e no braço, pois já não era mais pobre como antes. E com o conforto do material de que passou a desfrutar, depois que foi autorizado a dirigir seu próprio núcleo congregacional, de "difusão da palavra de Cristo", como proclamava, ficava cada vez mais distante, no tempo e no espaço, do raio de ação do "macumbeiro de Magé" — palavras do pastor.

O arquidiácono de sua Igreja profetizara que ele teria todo o sucesso no "ministério". Mas precisava, com urgência, romper o pacto celebrado com as "entidades malévolas". E que era necessário desvendar tudo o que tinha sido feito, para que seus novos mentores desmanchassem a feitiçaria. Por isso ele queria voltar a Magé, e pediu a companhia de Bené, pois não lembrava como lá chegar.

Bené topou. E, agora, ia no carrão do "reverendo" Fabiano Farias, uma caminhonete Pajero, inteiramente compatível com sua condição de amputado, embora ágil, com as duas próteses. Assim foram. E o malandro não perdeu tempo. Durante a viagem contou coisas muito estranhas que tem ouvido e está repetindo, pois fazem parte do seu aprendizado: que "a Terra é plana"; que "acupuntura é feitiçaria de chinês" etc. Até que chegaram à Vila Inhomirim.

A casa era a mesma, só que pintada de novo. Pararam no portão, Bené desceu, ajudou o Da Grota a descer também, e bateu palmas. Ninguém atendeu. Com o portão semiaberto, avançaram e chegaram à pequena varanda. Onde, vindo de dentro da casa, chegava um ativo cheiro de ervas boas, como se tivessem sido maceradas naquele momento, um olor que Bené achava celestial e o outro sentia como "uma catinga braba". Mas ambos entraram.

Não havia ninguém em casa. Mas tudo estava muito bem-arrumado, transmitindo uma grande paz. E estavam ambos ali, naquela indecisão, quando, subitamente, no quintal, um ruflo como o de uma ave, batendo as asas e alçando voo, mas forte, muito forte, surpreendeu e assustou os dois.

Bené olhou e viu o gigantesco pássaro negro. Negro, mas de pura e vibrante luminosidade, subindo ao céu, na direção do pôr do sol... E, na contramão — *vum, vapt, vum!* —, viu a Pajero numa violenta marcha a ré, engatando uma primeira, arrancando, cantando os pneus, a 140, de volta para a sua Bem-Aventurança... E deixando o babaca do Bené, lá, naquele fim de mundo, sem um puto de um tostão pra tomar um ônibus e voltar pra casa.

Sem entender o que acontecera, Bené se refez e caminhou até a estrada, em busca de uma carona. Aí, já na "pista", viu vindo em sua direção um pretinho flamenguista, de bermuda vermelha, sem camisa, e uma carapuça rubro-negra enfiada na cabeça.

"Tio, me dá um cigarro" — ele pediu, mas Bené não fumava. O garoto riu, disse "Oquei", deu tchau, andou uns sete passos e, sempre rindo, se voltou pra trás e jogou no ar a frase debochada:

"Era um pássaro muito grande..."

OGUM

Em alguns mitos iorubás, Ogum é o primeiro orixá a vir habitar o Aiê, o mundo sensível. Pois Ogum é o asiwaju, "aquele que vai à frente e conduz os demais". Tem também o título de alagbedé-orun ("o ferreiro dos céus"), por ter introduzido em meio aos homens o uso do ferro e dos metais, tornando-se o patrono da tecnologia, das ferramentas da agricultura e da guerra. É o dono das estradas, abertas pelo aladá, sua grande espada. Assim como seus irmãos Exu e Oxóssi, é um dos orixás cultuados preferencialmente no mato. Ogum é impulsivo, mas também obstinado. Às vezes profundamente calmo, às vezes irascível. Solitário, mas também alegre e festeiro. A jura mais solene é aquela feita aos pés de Ogum. Gosta de se vestir com o mariwô, a folha do dendezeiro. Tem como cores mais comuns o verde-bandeira e o azulão.

Ogum à beira-mar

Jeferson Tenório

Quando o seu Otavio me chamou na sua sala, eu não poderia imaginar uma coisa daquelas. Nunca imaginei que ele quisesse conhecer minha mãe. E, que eu me lembre, nunca havia dito a ninguém daquele escritório que eu era de religião, dizer um negócio desses num escritório em pleno bairro Moinhos de Ventos seria quase um crime, era praticamente evocar o demônio para eles. Seu Otavio estava doente. Primeiro, ele achou que estivesse com algum tipo de câncer, sentia dores nas pernas, um cansaço imenso e tonturas. Fez inúmeros exames e nada foi encontrado. Em seguida, começou a perder peso rapidamente. Seu Otavio sempre foi homem saudável. Era casado, tinha três filhos, todos loirinhos como ele. Mas agora, nos últimos meses, tinha definhado. A gente no escritório chegou a pensar que fosse algum tipo de doença terminal. Quando entrei na sala, ele estava sentado, com o rosto abatido. Me olhou com humildade. Eu juro que nunca tinha visto seu Otavio olhar com humildade para alguém, pois em nada se parecia com o jeito altivo e arrogante de ser. E talvez isso aconteça porque a doença nos impede de sermos quem somos. Seu Otavio em nada lembrava o dia em que fui entrevistado por ele, para a vaga de emprego. O dia em que ele olhou para mim e disse que não gostava de negros. Disse sem nenhuma cerimônia ou qualquer constrangimento. Depois justificou dizendo que todas as vezes em que havia sido assaltado, sempre eram assaltantes negros, e tu pode olhar aí nas prisões quem é que tá lá, a maioria é preto, ele disse, não sou preconceituoso, para mim não interessa se a pessoa é preta ou branca. Estou sendo sincero, guri. Mas não é coincidência que sempre tenha sido assaltado por negros. Seu Otavio ficou esperando que eu dissesse algo. Mas eu não disse. E talvez por isso ele tenha me contratado. Lembro que naquele mesmo dia cheguei em casa e perguntei à minha mãe se eu deveria aceitar um emprego de office boy num lugar cujo chefe não gostava de negros. Minha mãe me olhou com cordura e tristeza e disse que aqui no Sul há poucas pessoas que gostam de negros, meu filho, mas elas não dizem. Escondem o racismo dentro de si. Esse pelo menos foi sincero. E enquanto secava as mãos no pano de prato, disse que aquele escritório não era o melhor lugar para eu trabalhar, mas era o que tínhamos no momento. Tenho certeza de que a índole e tua postura vão mudar a opinião desse sujeito sobre os negros. Depois, me olhando nos olhos, disse: Às vezes, as pessoas só precisam de tempo para serem ser educadas e se redimirem. Um ano após a entrevista, eu estava na sentado na frente do seu Otavio e ele me pedia o endereço da minha mãe. Na época eu havia completado 23 anos, tinha entrado na faculdade de Letras recentemente. Ele começou dizendo que alguém ali do escritório havia dito que a minha mãe era mãe de Santo. Não neguei, embora não soubesse onde ele queria chegar com aquela conversa. Otavio levantou da cadeira e disse para me aproximar dele. Fomos até a janela e em tom de reserva disse: Escuta, rapaz, preciso que tu me leve na casa da tua mãe, mas queria que isso ficasse só entre nós. Não gostaria que as pessoas soubessem disso, principalmente meus funcionários. Procurei não demonstrar surpresa e disse apenas: Pode ficar tranquilo, seu Otavio. Quando o senhor gostaria de ir?, perguntei. Amanhã, se possível, ele disse. Depois, voltou a sentar porque parecia cansado. Respondi que ia marcar com minha mãe e, logo que ela tivesse horário, eu o avisaria. Então, assim como ele havia me pedido, mantive em segredo a sua ida à casa de minha mãe. No dia seguinte, saímos do escritório por volta das quatro e meia da tarde. Otavio estava quieto, pensativo. Parecia sofrer. Enquanto o seu motorista dirigia, Otavio perguntou, sem me olhar, se sempre acreditei nessas coisas. Que coisas?, perguntei. Nessas coisas de orixás. Conversar com seu Otavio era sempre um campo minado. Ele sempre fazia perguntas como se estivesse nos testando. Respondi que nasci praticamente dentro de um terreiro. Que para mim "as coisas" eram muito naturais. Fiz uma breve pausa, esperei que ele dissesse alguma coisa. Mas ele permaneceu em silêncio, esperava talvez que eu falasse mais. Então prossegui dizendo que minha fé havia sido abalada quando entrei na faculdade e comecei a ler literatura. Comecei a estudar os mitos. Então, certa vez, cheguei a pensar que tudo não passava de ficção. Porque agora eu era um acadêmico, um estudante de Letras e comecei a duvidar dos poderes dos orixás. O contato com os livros me fez acreditar que talvez as crenças todas não passassem de ficção. E o que te fez mudar de ideia?, ele perguntou, rompendo o próprio silêncio. A vida, respondi. Eu ia continuar, mas estávamos chegando na casa de minha mãe. Quando o carro estacionou, ela já estava na frente do portão. Descemos. Apresentei-os. Ela nos cumprimentou e mandou que entrássemos. Otavio estava incomodado. Era visível que não queria estar ali. Depois foram até uma salinha onde minha mãe costumava jogar cartas. Sentaram-se um de frente para outro. O que traz o senhor aqui é uma doença, disse minha mãe, sem meias palavras. Otavio não se espantou com a afirmação. Pois para ele era visível que estivesse doente, além disso, eu poderia ter dito isso a ela. O senhor quer saber se vai ficar bom, não é? Sim, ele respondeu, ainda desconfiado. A senhora pode me dizer o que eu tenho?, continuou ele, os médicos já me reviraram de cima a baixo e não encontraram nada, mas sinto dores aqui dentro, disse apontando para o próprio peito, além de me sentir muito cansado, às vezes acho que estou para morrer. Minha mãe olhou para as cartas, depois olhou para ele e disse com delicadeza e firmeza que ele não se preocupasse que a doença não era grave, e ele não ia morrer agora, que ficasse mais tranquilo. Mas o senhor precisa fazer trabalhos pro seu Santo. Santo?, perguntou. Sim, o senhor é filho de Ogum. Ogum Beira-mar. Não entendo, ele disse, pois nunca frequentei Casa de Santo. Como posso ser filho de um santo? Minha mãe seguiu com paciência e disse que a gente não escolhe orixás, são eles que tomam nossa cabeça. O que tenho de fazer?, ele perguntou, demonstrando impaciência. Minha mãe embaralhou novamente as cartas, tirou três, colocou-as de volta na mesa, como se estivesse analisando uma por uma e disse: O senhor precisa dar uma oferenda pro seu santo na encruzilhada e outra na praia. Depois disse também quanto iria custar para fazer os trabalhos. Otavio arqueou a sobrancelha e perguntou: A senhora está me dizendo que terei de ir a uma encruzilhada? Sim, respondeu minha mãe com serenidade, é o senhor quem tem que pedir, isso eu não posso fazer pelo senhor. Otavio se incomodou ainda mais, respirou fundo: Senhora, entenda, eu sou diretor de um dos maiores escritórios de advocacia da América Latina, não posso ser visto fazendo um trabalho de macumba numa encruzilhada, a senhora entende.

Eu tinha muito orgulho da paciência de minha mãe. Porque calmamente ela juntou as cartas, embaralhou-as sem pressa e disse: Cada cabeça uma sentença. O senhor é quem sabe. Se era só isso, o jogo está terminado. Talvez Otavio poucas vezes tenha sido tratado assim. Ao sair da sala, perguntei se queria que eu voltasse com ele. Otavio disse que não. Que eu ficasse. Não me agradeceu, nem disse mais nada. Apenas entrou no carro e foi embora. Não sabia se aquela ida à casa de minha mãe teria algum efeito no meu emprego. No dia seguinte, ao chegar no escritório, soube que Otavio não havia ido trabalhar. Disseram que ele não havia se sentido bem. No meio da tarde, quando estava na fila de um banco, Otavio ligou para o meu celular. Pediu para que eu fosse com urgência até sua casa, que mandava o motorista me buscar. Meia hora depois estava na grande sala de seu apartamento no bairro Higienópolis. Quando ele apareceu, eu estava admirando o tamanho da sala e das coisas que estavam nela. Seu Otavio sentou-se à minha frente. Parecia abatido e triste. Perguntou se eu queria tomar alguma coisa. Eu disse água. Em seguida, pediu para que eu dissesse mais sobre por que voltei a acreditar nos orixás. Ajeitei-me na cadeira. Tomei um gole da água. E disse que voltei a acreditar porque os orixás vivem numa condição que não pode ser explicada pela ficção. Os orixás são nossos mitos, mas não só. O senhor mesmo me disse que os médicos não sabem o que senhor tem. Isso é uma prova de quem nem tudo pode ser explicado pela ciência e pela razão. Otavio me olhou com tristeza e disse que faria o trabalho que minha mãe havia dito. Depois perguntou com humildade se eu podia dizer isso a ela. Eu disse que sim, que não tinha problema. Então, dias depois, combinamos o horário. Fui junto porque minha mãe havia me pedido. O carro do seu Otavio estacionou na frente da casa. Dessa vez ele não desceu. Minha mãe entrou com um galo vermelho que estava com as asas e patas amarradas. Otavio arregalou os olhos. Depois perguntou para que era aquele galo. Minha mãe com naturalidade disse que ia matá-lo na encruzilhada e derramar o sangue dentro da gamela, em cima da costelinha de carne. Vou colocar um pouco de mel pra adoçar a sua vida. A senhora não havia me dito que ia matar um galo. Minha mãe ignorou o comentário de Otavio e disse: O senhor aproveite esse momento e vá fazendo seus pedidos durante a viagem. A partir de agora entramos num outro tempo, numa outra dimensão, que é a dimensão do sagrado. Respeite esse tempo. Otavio estava sentado no banco de trás comigo. Minha mãe sentou no banco da frente, junto com o motorista. A encruzilhada em que íamos ficava em Pinhal, uma das praias mais próximas de Porto Alegre. Depois, a certa altura, minha mãe disse: Vamos levar outra oferenda na praia. Vou limpar o senhor com os Axés, na frente do mar. O senhor precisa ser limpo. Otavio escutava agora como uma criança sendo educada. Passamos a metade do trajeto em silêncio. Otavio parecia bem com a viagem. Quando pegamos a BR-290, minha mãe disse que o galo precisava de água. Paramos num posto. Ela saiu para que o seu Otavio pegasse o galo. Ele me olhou, e eu disse que era para ele fazer o que ela havia dito. Ao sair do carro, Otavio enterrou o boné na cabeça e óculos escuros. Segurou o galo, com pouca destreza, foi então que o galo começou a carcarejar alto chamando a atenção das pessoas. Minha mãe foi até a lojinha e comprou uma garrafa de água. Colocou num pote e deu para o galo beber. As pessoas ao redor nos olhavam com curiosidade. Otavio passou o tempo todo de cabeça baixa. Voltamos para a estrada. Em outro momento, minha mãe olhou pelo espelho, e perguntou se conhecia a história de Ogum Beira-mar. Otavio resmungou que não. E parecia nem um pouco interessado em saber. Mesmo assim minha mãe seguiu dizendo que este orixá pertencia à falange de

Ogum e, como vive perto do mar, tem uma ligação muito forte com Iemanjá. Contam que Ogum Beira-mar passou meses guerreando no mar e, ao regressar à terra, os habitantes estavam em completo silêncio. Indignado com isso, porque achou que estavam zombando dele, Ogum matou todos aqueles que apareciam em sua frente, cortando-lhes a cabeça. Depois, ao chegar a uma aldeia vizinha, um ancião lhe disse que os habitantes haviam feito um voto de silêncio por alguns dias, para que ele regressasse em segurança. Ao descobrir isso, Ogum se envergonhou do que fez. Então, de frente para o mar, jurou sempre defender todos aqueles que sofrem com as injustiças e discriminações. Quando minha mãe terminou de contar, Otavio parecia mais incomodado e perguntou se ela achava aquela história bonita, se ela achava certo que um orixá saísse cortando a cabeça das pessoas, só porque não queriam falar com ele. Minha mãe parecia já esperar por um questionamento daqueles, então disse que os orixás nunca foram exemplos de virtudes divinas. Os orixás refletem o pior e o melhor de nós mesmos. Ao dizer isso, Otavio perdeu o interesse e voltou a olhar para a janela. Chegamos à noite. Fomos a uma encruzilhada. Minha mãe passou canjicas e velas no corpo de Otávio. Jogou pipocas sobre sua cabeça. Depois pediu para que ele se ajoelhasse na frente do alguidar enquanto eu segurava o galo. Então, minha mãe com uma faca sangrou o pescoço da ave e foi gotejando, dessa maneira, a oferenda com sangue. Otavio evitava olhar. Depois, fomos até a praia. Minha mãe passou mais velas em torno do corpo de Otavio, pedindo saúde para ele. Em nenhum momento Otavio parecia relaxado, apenas queria que tudo aquilo acabasse logo. Após tudo terminado, voltamos para Porto Alegre, todos em silêncio. Depois daquele dia, Otávio não falou mais comigo sobre o assunto. Me fez prometer que nunca comentaria nada daquilo com alguém. O fato é que

Otavio teve uma melhora súbita. O vigor e a energia voltaram. O desânimo e a tristeza desapareceram. Um mês depois, Otavio me chamou na sua sala. Disse que precisava me agradecer pela minha discrição e por ajudá-lo. Eu disse que estava feliz que tudo tinha melhorado e, antes de sair, virei para ele e perguntei: Seu Otavio, o senhor ainda pensa que os negros não prestam? Otavio levantou-se, depois me olhou como quem não lembrasse de algo e disse: Que isso, rapaz! É claro que não penso mais isso. Olha, esqueça aquele dia em que lhe disse uma besteira daquelas. O senhor está se desculpando, seu Otavio?, perguntei. Ele me olhou com certa autoridade, como se estivesse lembrando que era meu chefe. E depois disse que sim, que aquilo era um pedido de desculpas. E tem mais, meu rapaz. A sua gente é muito importante para esse país. Diga isso a sua mãe. Pode deixar, seu Otavio. Eu darei o recado. Naquela mesma noite, enquanto jantava com minha mãe, ela perguntou se Otavio já havia se desculpado comigo. Dei uma garfada e disse que sim. Minha mãe não estava satisfeita e voltou a perguntar: Ele sabia que estava se desculpando, Pedro? Ele entendeu que estava te pedindo desculpas? Sim, mãe, ele entendeu. Minha mãe sorriu e disse apenas que as pessoas, às vezes, só precisam de mais algum tempo no mundo para serem educadas e se desculparem. Depois, mudamos de assunto e ela perguntou se eu queria mais feijão. Eu disse que sim. Sete dias depois, Otavio deu entrada na emergência do hospital, com os mesmos sintomas de antes, ficou internado por três dias e depois morreu.

OXÓSSI

É o orixá caçador, ligado à floresta e aos animais. Oxóssi é o patrono da família, aquele que provê o sustento e garante a fartura. Representa o observador astuto que se mantém silencioso e imóvel para não espantar a caça, mas sempre ágil e certeiro na hora de capturá-la. Um de seus títulos é o de Oxotokanxoxô, "o caçador de uma flecha só". Oxóssi protege, por extensão, os trabalhadores, aqueles que saem de suas casas em busca do pão de cada dia. Dono de espírito contemplativo e de apurado senso estético, é amigo das artes e da intelectualidade. Oxóssi é considerado o rei da nação ketu, um dos ritos mais difundidos do candomblé. Assim, usa nestas casas a cor azul-turquesa, distintiva da realeza da cidade de Ketu, no Benin. Nas demais nações, costuma receber o verde-escuro alusivo às matas.

Batiputá

Socorro Acioli

Na reunião da noite anterior, ficou decidido que sairíamos pontualmente às cinco da manhã, todos ao mesmo tempo. Às quatro nos encontraríamos para tomar café, faríamos uma prece na casa de cura pedindo proteção na mata e benção para os cestos da colheita. Um dia muito importante. Um ritual organizado. Eles disseram várias vezes que precisávamos andar juntos na mata o tempo todo.

Acontece que eu não consegui dormir bem. Fui acordada várias vezes pelos meus sonhos. Tenho mergulhado em profundos enigmas de olhos fechados desde quinta-feira passada e durmo com um caderno e caneta dentro da rede de tucum, essa experiência de sentir o corpo suspenso. Encontro pessoas e elas me dizem coisas que não consigo compreender muito bem quando acordo. Perguntei aos meus colegas de expedição e ninguém estava vivendo nada parecido. Dormiam feito pedra, especialmente depois que visitavam as redes uns dos outros. O amor no tucum é um delírio flutuante.

Éramos quatorze estudantes e três professores na aldeia dos Tremembés. Todos alunos dos cursos de Biologia e Farmácia. Estavam ali especialmente interessados no feitio do óleo do batiputá, o líquido sagrado dos índios. Cura absolutamente todas as doenças do corpo, eles dizem, nasce na mata sem ser plantado por mãos humanas, é um presente dos Encantados. O batiputá é preto como uma joia, um par de brincos. Parece o sibitchi africano. Parece ônix, obsidiana, pérola negra do Taiti. O óleo que sai dele é ouro puro, cor do sol.

Eu era a única estudante de Jornalismo, não conhecia ninguém, estava na viagem porque pedi permissão ao coordenador, que chamo de Biólogo, depois de decidir de repente, no impulso, sem ter absolutamente nada a ver com o assunto. Dos três professores um era o Antropólogo e eu só fui por causa dele.

O acaso. É ele que faz essas coisas comigo. Acontece nos trânsitos de Urano, as coisas saem do lugar, as surpresas me chamam e eu apenas obedeço. Sou minúscula, não posso me opor ao movimento de um planeta. O acaso fez com que um professor faltasse e eu ficaria das oito ao meio-dia sem fazer nada, no calor cruel dessa cidade. O prefeito odeia árvores. Adora avenidas largas. Fui para a Reitoria porque lá ainda temos sombras verdes. Eu só queria ler um livro até a hora do almoço, deitada sob a mesma árvore de sempre do jardim da Gentilândia na companhia silenciosa dos gatos, como fiz tantas vezes.

Um grupo de pessoas apareceu de repente, paravam de vez em quando, olhavam para o céu e, quando percebi, eles já estavam cercando a minha árvore preferida, interrompendo a minha concentração no melhor conto do livro. Foi quando conheci o Biólogo. Ele explicava que aquela era uma samaúma, a árvore mais alta da floresta amazônica. Descrevia o currículo dela, a taxonomia toda em Latim, e os alunos anotavam, um grupo de quarenta, cinquenta. Alguns concentrados, registrando com dedicação, outros fotografando e o grupo dos Nem Aí, essa raça que eu detesto e está espalhada pelo mundo como uma praga. Não há defeito que mais me irrite que a falta de curiosidade. Agora era questão de honra entender o que era exatamente aquele evento e fazer parte dele, na medida do possível.

A voz do Antropólogo apareceu primeiro que o seu rosto, para mim. Foi Urano fazendo as coisas aos poucos. Àquela altura, eu já estava em pé, entre eles, não dava pra continuar deitada enquanto eles explicavam a samaúma e fingir que eu era uma raiz. O Biólogo falou bastante, compreendi pouco, mas foi o suficiente para entender o quanto estávamos diante de uma árvore especial.

O Antropólogo complementou a fala, mas disse as coisas de uma outra maneira. Era como se o Biólogo enxergasse o corpo e ele visse o espírito da planta. Contou que era chamada entre os indígenas de Escada para o Céu por ser a árvore mais alta na Floresta Amazônica, que perto dela tudo vinga. Que seu tronco engorda como se engravidasse e o chá do tronco grávido é garantia do bom parto. Que seus ramos têm sete folhas, um número sagrado, místico, transcendente. E disse que valia a pena tocar o tronco porque ela tem energia de cura, é a Mãe da Floresta.

Como eu estava bem perto, fui a primeira a encostar minhas duas mãos na árvore e fiquei ao lado dele. Sorri com uma vergonha respeitosa, desconcertada. Ele não dizia aquelas coisas invisíveis com um ar de Messias, o que costuma me irritar muito. Era sério, seguro. Concentrado. Bonito. Não óbvio, mas bonito. Minhas amigas diriam que ele é feio, mas admitiriam que a categoria sisudo-experiente me atrai e respeitariam meu gosto.

Ele não sorriu de volta. Ignorou minha presença. Sério e concentrado daquele jeito é porque provavelmente tem Capricórnio e Virgem no mapa. Foi ele que lembrou o horário da palestra, que seria ali mesmo no auditório da Reitoria. Foram todos e eu segui junto, fluindo como fluem os peixes nos cardumes, os pássaros nos bandos.

Na entrada do auditório, uma senhora solicitava, muito educadamente, que escrevêssemos nossos nomes, o curso de origem e o e-mail. Minha linha na folha era a penúltima, a única que escreveu Jornalismo e não Biologia, Farmácia, Agronomia, História. Foi lá que vi o título do evento: A Encantaria Ameríndia e as Plantas Sagradas, 10h. Para as 8h estava marcada a Visita Guiada ao Jardim da Reitoria.

Encheram a mesa de professores, mas o convidado especial era o Antropólogo. Os outros falaram muito, deixaram pouco tempo para ele — que por sorte é objetivo, direto, fascinante e explicou tudo usando os minutos que sobraram. Veio do Rio de Janeiro para o Ceará exclusivamente para a Expedição Batiputá, trazendo o ponto de vista da Antropologia para a pesquisa. Deve ter sido uma espécie de hipnose. Quando dei por mim, estava inscrita na expedição.

Sou rápida quando preciso inventar um motivo para fazer o que eu quero. Tenho Vênus em Áries. Disse ao professor que queria ir como estudante de Jornalismo para escrever sobre a experiência, propor uma matéria ao jornal onde eu tinha estagiado, certamente interessaria. Ele permitiu, claro, explicou os valores a pagar, horário de saída e chegada do ônibus, já seria na terça-feira, porque a colheita começaria nas primeiras horas da quinta-feira e voltaríamos na sexta. Baratíssimo para uma semana. Dediquei o sábado e o domingo para ler o que eu pude sobre os Tremembés, o batiputá, mas nada muito aprofundado. Só queria ter noção do que eu estava fazendo, apesar de ter dificuldade de explicar para as pessoas por que eu viajaria em plena terça da semana seguinte. Quando vi, já estava no ônibus, sem conhecer ninguém. No pequeno reino da minha intuição estava o motivo.

Fui apresentada ao Antropólogo e ao grupo como A Jornalista, antes da saída da expedição. Ainda falta a monografia, expliquei, para ninguém achar que eu estava antecipando um diploma sem ter feito tudo que tinha de fazer para merecer. Ele sentou-se nas primeiras poltronas, junto com os outros professores, e eu achei um lugar lá no final onde pude me encostar e dormir a viagem toda.

Havia uma programação intensa de aprendizagem sobre as plantas locais, a medicina tradicional dos Tremembés, mas pouco a pouco as pessoas do grupo desapareciam para mim e eu só conseguia enxergar o Antropólogo, porque ele falava das coisas que me interessavam. Disse a ele que era sobre isso que eu queria escrever, a Encantaria, a fé dos Tremembés e esse foi meu passe para estar perto dele e acompanhar sua pesquisa.

Em dois dias eu não sabia mais se o que me conduzia até ali era um homem ou uma ideia de vida. Quase o tempo todo ouvi em silêncio as perguntas e as conversas fascinantes do Antropólogo com os Tremembés. Ele sabe escutar. Que coisa bonita o olhar dele para os Troncos Velhos, os idosos, a sabedoria no corpo e nos hábitos. Que coisa rara um homem que observa sem a pretensão de ensinar. Ele enxerga a alma das pessoas. Sorri e pede a benção.

Fizemos companhia um ao outro porque os interesses naturalmente agruparam as pessoas em outros lados. Além disso, ele não fazia esforço para ser simpático, ninguém gostou dele e estava visivelmente focado na sua própria perspectiva. Todos desapareceram da minha vista. Minha presença nas entrevistas e nos encontros fazia de mim uma interlocutora possível para ele. Naturalmente fomos nos aproximando porque sei que ele gostava muito da minha posição de aprendiz. E porque sabia que eu estava entendendo absolutamente tudo.

Antes de dormir, eu e o Antropólogo fomos até a casa da Cacique para tomar o mocororó, o vinho dos índios, a bebida de sonhar. Eles tomam quando dançam o torém. Desde que ouvi falar eu quis muito, mas logo entendi que não é algo que se faça só por querer. Conseguimos beber e pela primeira vez achei que ele estava olhando para mim de maneira diferente. Um sorriso cúmplice, estávamos sozinhos ali, o resto do grupo não fazia ideia do ritual. Dançamos com eles no círculo maior, ao redor dos troncos velhos. Um momento íntimo, tivemos permissão para fazer parte.

Ele me explicou quem são os Encantados e que ali estávamos no território deles, protegidos e observados. Com ele eu pude falar de todos os pedaços de fé que já experimentei e nisso éramos parecidos, ele conhecia tudo do que eu falava. Minha frustração era não ter descoberto ainda o meu Orixá. Perguntamos à Cacique, ela disse que não seria uma coisa boba e começou a conversa por mim.

— Peça para lhe mostrar no sonho que seu Orixá aparece.

Foi justo na quarta-feira que eu pedi e acabei nem dormindo. Acordei sobressaltada porque sonhei com as sete folhinhas da samaúma, alguém me falando o que significava cada uma: a alma, a família, o trabalho, a palavra, o outro, a casa e o corpo.

Eram duas pessoas me explicando. Eu tinha certeza de que esse sonho era uma resposta e por isso não consegui mais dormir, queria falar com o Antropólogo, com a Cacique, com alguém que me decifrasse uma resposta. Talvez tenha sido por isso que cheguei até ali, no fim das contas. Levantei da rede, lavei o rosto, arrumei essa floresta de cachos da minha cabeça e escovei os dentes. Sobrou chá da noite na garrafa, sobrou beiju, bebi e comi.

Na reunião da noite anterior, ficou decidido que sairíamos pontualmente às cinco da manhã, todos ao mesmo tempo, mas eu fui antes pra mata. Sozinha. Achei que eu já sabia o suficiente sobre os Encantados para entrar. Pedi licença. Ouvi a música deles, bem longe. *Não tem caminho que nós não ande. Não tem rio que eu não atravesse. Não tem pau que eu não arranque. Não tem pedra que eu não quebre.*

Silêncio é palavra. Mas é também um estado de espírito que até então eu desconhecia. Fui seduzida pelo silêncio quando entrei na mata para colher, eu mesma, os batiputás. Depois encontraria o grupo. Não percebi o quanto andei até notar que estava perdida. Totalmente perdida na mata escura. Não levei nada, nenhuma proteção, fósforo ou isqueiro para fazer fogo, água para beber, entrei ali porque achei que devia e agora não fazia ideia de que lado que eu vim.

Tampouco tive algum treinamento de salvação na floresta e de repente me dei conta do perigo quando ouvi o zumbido. Pisei em uma colmeia de abelhas derrubada no chão com uma flecha. Sou completamente alérgica a picada de abelhas e contra elas nada adiantaria. Avistei o enxame em minha direção e meu único impulso foi o de correr, sabendo que seria inútil tentar ser mais rápida que elas. E sem esperar, fui salva.

O homem que atirou a flecha apareceu segurando o arco e espantou as abelhas como se fosse encantamento. Era o índio mais imponente da tribo e eu o tinha visto algumas vezes, mas nunca chegava perto de onde estávamos. Passava por trás das pessoas, ficava de longe, olhava pra mim. Às vezes escutava nossas conversas e eu sempre tive a impressão de que observava a comida, olhava para checar se estava tudo a seu modo.

— Você gritou muito, eles estão te procurando.

O índio apontou o caminho por onde eu deveria ir. Descalça, porque minha sandália quebrou. Quem chamava meu nome era o Antropólogo e a Cacique, vinham somente os dois e quando me viu, ela sorria. Eu estava na casa dela e não no meio da mata. Dormimos lá depois do mocororó.

— Você reconheceu?

— O índio?

— Era Oxóssi, a resposta que você pediu.

O Antropólogo trouxe um café pra mim. Estava mais simpático, pouco a pouco. Começou a falar de Oxóssi, o orixá que sempre me pareceu muito bonito. Eu sabia um pouco sobre ele, o caçador de uma flecha só, o rei da mata, da fartura, da alegria. Disse que combinava comigo, que minha coragem era digna de uma filha de Oxóssi.

Enquanto eu ia acordando, fui me dando conta de que em nenhum momento eu mencionei meu sonho. Dormi e acordei porque fui despertada pela Cacique e eles me explicaram que eu estava agitada, mas não deu tempo de contar. Como eles sabiam da flecha, da colmeia? Como sabiam que o homem que eu vi tinha todas as características de Oxóssi? Perguntei à Cacique e ela apontou para o Antropólogo, mas já era hora de ir.

Colhemos cestos e mais cestos de batiputá, o suficiente para a extração do óleo. Trabalhamos nisso o dia inteiro, limpando os frutos, assistindo à mágica acontecer, as joias negras virando ouro. Compreendi o sentido de estar ali. Se fui levada por Urano, chamada por Oxóssi e por todos os Encantados; se fui conduzida pela minha paixão, não sei mais. Talvez tudo ao mesmo tempo. Eu estava mais forte.

Na última noite, depois de flutuarmos na rede de tucum, perguntei ao Antropólogo como ele soube do meu encontro com Oxóssi, da simbologia das abelhas. Recebi a resposta apenas pela sua voz, como foi pela primeira vez, porque fechei os olhos para ouvir:

— Nós sonhamos o mesmo sonho. Eu vi a mesma coisa e sabia que era Oxóssi.

— Foi efeito do mocororó?

— Encantaria. A lenda da moça que aparece na samaúma, desaparece na floresta e invade o sonho do moço.

— Existe essa lenda?

— Claro que não, acabei de inventar.

— Não sabia que antropólogos inventavam histórias.

— De vez em quando.

— Essa lenda ficou ótima, por exemplo.

— Obrigado, mas é criação nossa.

— Bendito mocororó.

— Bendito batiputá.

OMOLU

O orixá Omolu é cultuado em meio ao panteão nagô, mas descende das terras jejes, ao lado de sua mãe Nanã e seus irmãos Oxumarê, Ossãe e Euá — a chamada família Iji (ou Dambirá). Muitos o conhecem também pelo nome de Obaluaiê. Para alguns, entretanto, trata-se de orixás distintos, embora correlatos. Omolu é divindade ligada ao sol e à quentura da terra. É o senhor da cura, relacionado especialmente às epidemias e doenças de pele, como a varíola. Omolu veste-se todo de ikô, a palha-da-costa, que cobre o que seriam suas próprias feridas. Dizem os mitos que nasceu da união entre Oxalá e Nanã, já acometido pelas chagas da varíola. Rejeitado pela mãe, foi criado por Iemanjá. Dono dos búzios, é ligado aos espíritos e tem o poder sobre a vida e a morte. Entre suas cores distintivas estão o branco, o vermelho e o preto.

O menino que insistiu

Paula Gicovate

"Cincopanosdechãoétrêscruzeiros,panodechãotrês cruzeiros.Comprapprameajudarsenhora,paralevarcomidapara casa", minha mãe dizia que se a gente treinasse e falasse depressa, puxando o braço das senhoras na rua, ia dar tempo de elas escutarem antes de tomarmos um safanão, antes de elas saírem correndo.

Uma coisa que eu lembro, além dos braços das senhoras soltando com nojo dos meus, era de competir com Leda, minha irmã mais velha, para ver quem falava a frase mais rápido enquanto descíamos o morro correndo pela manhã. Eu era um menino franzino que vivia doente, e naquele fevereiro tive uma febre insistente que não dava trégua, mas Leda inventava brincadeiras e histórias que transformavam nossa dureza e minha doença em uma quase alegria. Era ela quem nos salvava da realidade, e quem muitas vezes apanhava por mim quando a minha mãe chegava em casa de madrugada reclamando do homem que a tinha abandonado com dois filhos, e da lama literal onde ficava nosso barraco.

Eu não sei quantos anos eu tinha, mas sei com certeza que era 1973, pois em casa só se escutava *Lendas do Abaeté,* samba da Mangueira daquele ano e que a minha mãe entoava o dia inteiro.

Ela riu muito naquele mês, mais do que a vi rir em qualquer outra época. Além do gringo que apareceu, nós voltamos para casa com 15 cruzeiros quase todas as noites.

Quando descíamos do morro para trabalhar, minha irmã me deixava com os panos de prato ao lado da Igreja da Candelária e me pedia para esperar até ficar de noite na frente de um bar enquanto desaparecia pelo entorno. Ela sumia por muitas horas e voltava no fim da tarde com uma sopa, e não brigava se eu não tivesse vendido a nossa cota. Ela dizia para eu não me preocupar porque naquela tarde tinha feito dinheiro por nós dois.

Chegando no morro, ela dava uma parte para a mãe e escondia a outra num rasgo no colchão que dividíamos. "Nosso segredo", dizia, e eu ficava feliz por ter algo para guardar para ela.

Eu sabia que o carnaval estava mais perto quando o morro inteiro ficou com barulho de samba. Minha mãe costurava cantando com o rádio o enredo da Mangueira — "Janaína Agô, agoiá, samba corima com a força de Iemanjá" — e só parava quando o gringo chegava e a gente tinha que ir pra fora do barraco. Ele misturava um português enrolado com uma língua que eu não entendia; quando ia embora, deixava uns cruzeiros. Minha mãe dizia que ele iria nos salvar, tirar nossa vida da lama, e eu perguntava como ela sabia disso se a gente não entendia nada do que ele falava.

Leda disse que era inglês, que no Píer as pessoas falavam isso e, quando ficávamos sozinhos, Leda pegava o rádio e mostrava músicas naquela mesma língua para me provar que estava falando a verdade.

A última vez em que vi o gringo também foi a última vez em que vi minha irmã. A mãe tinha saído para entregar umas fantasias e Leda ficou cozinhando enquanto eu brincava no chão. O gringo apareceu cheirando a cachaça, perguntando pela mãe. Meteu uma colher no feijão da minha irmã e imprensou ela no fogão. Leda se esquivou e se escondeu atrás da porta. Ele veio para perto de mim, e pegou minha orelha. Leda disse para ele me deixar em paz. O gringo então segurou forte a minha irmã e passou a mão no corpo dela dizendo que ela era ainda melhor que a minha mãe. Leda deu um tapa na cara do homem, que esbarrou no fogão deixando o feijão cair em seu corpo branco. O gringo berrou e partiu pra cima de Leda enquanto puxava seu cabelo e mordia seu pescoço. Minha mãe chegou no barraco com a fantasia e o fumo, e a cena que viu foi a do gringo com os cabelos de Leda em uma das mãos e seus peitos na outra enquanto minha irmã chorava, se debatia, e eu gritava para que ele fosse embora.

Ele foi. E foi dizendo que nunca mais voltaria, que minha mãe era uma miserável e que aquilo não era lugar pra ele. Foi chutando o filtro de barro e a panela do fogão enquanto minha irmã chorava num canto esperando que minha mãe o xingasse de volta.

"Eu devia ter tirado você, Leda! Sua desgraçada mal-agradecida! Ele disse que ia me levar daqui, e com o tempo eu ia pegar vocês também. Quando eu ia tirar a gente dessa lama, você afundou ainda mais."

Mas foi Leda quem foi embora.

Minha mãe chorou aquela noite inteira, e só parou quando o sol nasceu no domingo de carnaval. Me agarrou firme e disse que tinha certeza de que Leda voltaria, para eu não me preocupar, e que nos próximos dias eu devia ficar em casa melhorando da febre, e esperando minha irmã.

Ouvi os sambas e vi os vizinhos com as fantasias, tudo tinha cor e brilho, minha mãe disse que só por hoje acreditaria que a vida podia melhorar, e que se eu ficasse quietinho, ela voltaria com uns doces e com Leda, tinha certeza de que encontraria minha irmã de pirraça no Centro. Desceu com um turbante colorido junto com o enxame de gente, e eu fiquei.

Era madrugada quando meu corpo voltou a arder e o samba foi engolido pelo barulho do céu, que parecia cair. Da janela eu vi pedaços de madeira escorrendo pelo morro e segurei firme no que sobrou da nossa casa.

Minha mãe voltou pela manhã pedindo desculpas pela demora e me encontrou cheio de febre na venda da senhora portuguesa que ficava no pé da favela. A velha gritou com ela, disse que tinha me encontrado na rua tremendo, e que ela devia me levar ao hospital. A mãe me disse que tinha sumido porque não conseguia chegar no morro com aquela chuvarada, mas voltou com uma boa notícia, a Mangueira tinha sido campeã e agora tudo ia melhorar.

Ela pegou meu braço quente e viu as bolhas que tinham nascido junto com o dia. Subiu comigo no colo entoando o samba, mas já não estava mais rindo. "Janaína Agô, agoiá, samba corima com a força de Iemanjá", esfregava a mão no olho sem mostrar que estava chorando.

Sentamos os dois no meio da lama onde ficava nosso barraco, agora destruído pela chuva. Minha mãe me abraçou forte, mas não conseguia olhar para mim. Disse no meu ouvido que ia ficar tudo bem, que eu ia ficar bom logo e um dia ela ia me dar uma casa de verdade, boa como eu merecia.

Quando abri o olho no hospital, a moça de azul e chapéu branco perguntou se eu não sabia mesmo onde estava a minha mãe.

"Eu morri?"

"Não, mas quase. Tá vendo essas bolhas no seu corpo? É uma doença grave, se chama varíola, e você podia ter morrido disso se não tivessem te trazido pra cá. Insistiu à beça em ficar vivo, menino. Qual é o seu nome?"

"Josué."

"Prazer, o meu é Luzía, eu sou enfermeira aqui do hospital e fui eu que te achei lá na frente, mas agora você está bom e tem que ir para casa, só que para isso a gente precisa achar sua família."

"Cadê minha mãe?"

"É isso que estamos tentando descobrir, ninguém veio te procurar. Eu posso até dar um jeito de você ficar aqui no hospital mais alguns dias, mas agora você está bem, e precisa de casa e alguém para cuidar das suas feridas. Você não vai ficar bonito, Josué, mas vai ficar bom, e é isso que importa."

Ninguém entrava no meu quarto no hospital a não ser Luzía. As pessoas tinham medo, diziam que eu carregava doença e que podia matar o hospital inteiro se andasse no corredor. Me chamavam de praga e não me olhavam nos olhos, e eu não os culpo, eu mesmo tinha medo do que tinha virado.

Durante aqueles dias, foi ela quem limpou minha pele, não teve medo de pegar o que eu tinha, me deu de comer, me fez companhia e, quando não teve mais jeito, me levou para casa. Minha mãe não apareceu, e eu precisava sair do hospital. Do jeito que eu estava, diziam que nem orfanato ia me querer, mas ela quis.

Fui morar na casa pequena onde ela vivia com a mãe no Irajá. Ninguém ligou muito para o meu paradeiro no hospital, desde que me tirassem de lá. Luzía disse para a mãe que eu ficaria só até acharem alguém da minha família ou um lar que me acolhesse e, quando ela reclamou, Luzía disse que a Bíblia da mãe impedia que ela abandonasse uma criança na rua.

Se ela era mesmo tão devota do menino Jesus, era um pecado me abandonar.

Dona Jacira me chamava de Lázaro. "Ô Luzía, trate de fazer comida para o seu pequeno Lázaro, porque eu que não boto a mão nas coisas dele. E faz em panela separada! Deve ter trazido o menino aqui para me matar, só pode." E Luzía ralhava com a mãe, dizia que ela era religiosa da igreja para dentro e, além do mais, eu já não passava mais doença para ninguém. "Esse menino quebrou todas as regras e insistiu em viver, mãe. Deve ser para fazer alguma coisa bonita, e um dia a gente vai ver."

Contei para ela como eram minha mãe e minha irmã, andamos muitas vezes no Centro da cidade e na favela procurando por elas, mas ninguém as tinha visto. A senhora portuguesa disse que a última vez em que viu minha mãe foi descendo do morro comigo no colo, ardendo em febre, pedindo a ajuda das pessoas, mas ninguém queria me tocar.

"Ela deve ter te deixado no hospital, Josué, para que eu cuidasse de você. Sua mãe foi boa, queria te ajudar, só que não achou ninguém que fizesse isso por ela também."

Vencida pelo cansaço, Dona Jacira concordou que Luzía me matriculasse na escola do bairro e eu ficasse na casa por mais tempo. Não lembro quando desisti de procurar Leda e a minha mãe, mas Luzía disse que ou eu seguia a vida ou ficaria para sempre remoendo mágoa, e alguém como eu já era muito ferido por fora para guardar por dentro também.

Quando me recusava a sair de casa para não ouvir os vizinhos me xingando, ela pegava um espelho, colocava na minha frente e dizia: "Esse corpo é você, mas não te representa, ou te limita, Josué. Aprende a se amar e a agradecer por quem você é, olha o quanto a vida pode ser grande ao invés de ficar trancado nesse quarto."

Eu fui crescendo junto com Luzía. Dona Jacira acabou ficando doente, mas não foi por mim, foi câncer, o médico disse e a filha sabia antes de todo mundo. Ia do hospital para casa cuidar da mãe e, se amou alguém além de nós, nunca vi. Saiu com um estudante de Medicina que conheceu no hospital uma época, mas me dizia que nunca ia se casar, não queria passar pelo que a mãe passou e muito menos depender de homem nenhum, queria era viajar o mundo, e para isso precisava que eu ficasse saudável e obediente.

Quando me formei médico, dei para ela uma passagem para o Egito, Luzía contava que era seu desejo de criança e que até sonhava com pirâmides. Não sabia como era possível aquelas construções terem sido feitas, "só prova que existe alguma coisa mesmo de mágica por aí, Josué", então eu fiz ela abrir os olhos e ver magia assim como aconteceu comigo quando acordei no hospital e a vi.

Pessoas estavam morrendo de dengue no Rio de Janeiro. O fumacê não passava nas favelas cada vez mais cheias de água parada e doentes, e os casos mais graves não paravam de chegar ao hospital. Organizei com outros médicos residentes visitas a áreas de risco para conscientizar os moradores e fazer o primeiro atendimento às famílias. Se eu não conseguia ficar parado, que fosse até aonde o calo aperta, me disse Luzía.

Havia alguns anos lidávamos com o mesmo câncer de mama que tinha levado sua mãe, mas Luzía se negava a morrer mesmo que seu corpo já demonstrasse cansaço. Dizia que ainda tinha muito para viver e um filho meu para conhecer, e que antes disso não iria embora.

Ainda morávamos no apartamento em Botafogo de quando eu comecei a trabalhar no hospital. Eu me tornei sanitarista, e Luzía conseguiu conhecer bastante do mundo, como queria. "Que bela dupla a gente formou", ela falava e eu concordava.

Quando comecei as visitas nas comunidades, voltava para casa contando das pessoas, e ela se envolvia, queria ouvir as histórias e falava com orgulho para os amigos que eu estava curando gente aonde ninguém queria ir.

Era a terceira semana de atendimento, e naquela tarde o médico que me acompanharia disse que estava cansado demais para ir comigo. Subi o morro sozinho, um médico preto, vestido de branco, caminhando sob o olhar torto da polícia e dos chefes do tráfico. Visitei as casas, expliquei como a dengue se manifestava, prestei primeiros socorros para todo tipo de doença e, quando estava descendo, o mundo parou como um feitiço ao ouvir uma música que eu conhecia bem.

"Janaína Agô, agoiá, samba corima com a força de Iemanjá". A mulher sacudia um lençol na janela e cantava o samba da Mangueira daquele 1973. Caminhei em sua direção e reconheci a voz, o rosto e o cheiro. Uma vida tinha passado, mas eu saberia quem era ela em qualquer lugar.

Quando me viu, saiu de casa às pressas, parou no meio-fio me encarando, até que se aproximou e colocou as mãos no meu rosto. "Eu sabia que você ia viver, Josué."

Minha mãe desabou de chorar, me abraçou como se fosse ontem, beijou as marcas de varíola dos meus braços e disse que o que tinha feito não tinha desculpa, mas tinha explicação, e que não teve um dia da sua vida em que ela não tivesse pensado em mim.

Quando voltei para casa, Luzía pediu que eu repetisse até cansar os detalhes de tudo o que tinha acontecido. Disse que tinha passado a tarde com a mãe, mas que eu não quis saber o motivo do abandono. "Ser mulher é uma benção e uma desgraça, Josué. Ninguém sabe o que ela passou para ter te deixado lá, e trate de me levar, pois quero conhecê-la."

Quando chegamos, minha mãe me esperava na porta com o neto e a filha caçula que tinha nascido oito anos depois de mim.

Na mão ela tinha um retrato meu e de Leda, que não teve a sorte de encontrar. Disse que esperava que um dia eu a perdoasse, ou que pelo menos compreendesse o desespero de não saber o que fazer com o filho doente, que não era má, e tinha rezado todos os dias para que eu encontrasse alguém que me desse a vida que ela não conseguiu.

Luzía abraçou minha mãe e disse que sentia muito por tudo o que tinha acontecido, mas que agora ela parasse de chorar e se alegrasse, seu filho estava bem, tinha voltado, e ela queria agradecer pessoalmente à mulher que tinha lhe dado um presente.

A noite ia aumentando junto com as luzes do poste e o barulho do morro. Carros de som faziam curvas com volume alto anunciando baile funk e bloco de carnaval. Era final de fevereiro e a cidade ganhava aos poucos aquela cara de esperança que faz a gente esquecer tudo o que é ruim só para poder dançar.

Olhei para a pequena cozinha e vi Leda em pé fazendo o feijão, meu carrinho embaixo do sofá, as fantasias caindo da máquina enquanto minha mãe costurava ilhoses e paetês. Eu vi as marcas da minha pele em um pequeno espelho no hospital e vi Luzía vestida de azul e chapéu branco dizendo que eu tinha morrido, mas insistido em voltar a viver. Eu havia reconstruído o fio da minha vida entre dois ventres.

OSSÃE

Ossãe (ou Ossanyin, entre outras variações de grafia) é o orixá das folhas sagradas, das ervas litúrgicas e medicinais. Por isso, recebe posição de destaque no candomblé, cujos rituais estão quase sempre apoiados no poder das folhas. Há um ditado nagô bastante comum nos terreiros: "kossi ewê, kossi orixá" ("sem folha, não existe orixá"). Há as ervas próprias para cada divindade, mas se diz que apenas Ossãe conhece o segredo de todas elas. De temperamento arredio, vive escondido nas matas acompanhado de seu ajudante Aroni, um homenzinho de uma perna só muitas vezes comparado ao Saci-pererê. Há sacerdotes especializados exclusivamente no conhecimento e manipulação das folhas sagradas, chamados de Olossãe ou Babalossãe. As cores deste orixá são o verde e o branco, e às vezes também o amarelo.

Encontro de Osan com Asroni

Miriam Alves

Passeando nas cercanias do sítio, que havia herdado, Osan embrenhava-se em recordações. Nada parecia ter mudado, o pequeno riacho ainda conservava as águas limpas, como se o tão propagado progresso tivesse se perdido no caminho, sem colocar suas garras nas árvores da mata ciliar, protetoras da nascente e que resguardavam de intrusos a propriedade, que pertenceu aos avós que cultivavam hortaliças e frutas, e as forneciam aos estabelecimentos da cidade. Sentado na pedra, mirava as marolas produzidas pela correnteza e sentia o cheiro das folhas. De repente, vislumbrou a silhueta difusa de Asroni, que, saído de sua memória, parecia tomar forma na margem oposta. Breve arrepio percorreu sua pele, fechou os olhos, aspirou profundamente, experimentou a mesma sensação intensa da primeira vez que o encontrou, fato que marcaria sua trajetória de vida para sempre.

Para Osan, depois de um longo tempo viajando por vários países de três continentes, era uma espécie de volta ao começo.

Reconhecido e premiado por estudos pioneiros, havia construído uma sólida carreira. Mas quem daria crédito a ele se o tivesse conhecido na infância, um menino negro, serelepe, traquina e arredio às orientações dos pais e dos avós. Cabulava, considerava as aulas chatas, se embrenhava por entre as árvores, só voltando à noitinha sujo de lama, carregando punhados de folhas, cipós e raízes. Repreendido, ficava de castigo, impedido de praticar sua brincadeira predileta — sumir no mato. Corretivo inútil, ele driblava a vigilância, na primeira distração dos adultos, fugia e ninguém conseguia encontrá-lo. Na tentativa de inibi-lo, contavam-lhe a história de um homem estranho, morador duma cabana construída com palha e barro, em lugar de difícil acesso. Diziam ainda, por pura diversão, que ele passeava pela mata, assustava as pessoas que ousavam se aproximar, rogava um feitiço poderoso, cegava os intrusos.

Longe de dissuadir, aguçava mais a curiosidade de Osan, que entre o medo e a coragem desejou encontrar aquele homem. Imaginou-o de várias formas: uma boca imensa igual à do Bicho-papão, dentes de jacaré iguais aos da Cuca do Sítio do Pica-pau-amarelo; grandão, bem grandão, maior que as mais altas das árvores da cercania. Relatava sua construção da estranha criatura para os adultos, que dissimulavam um sorriso, às vezes concordavam com ele, em outras o desdiziam. Intrigado com as informações desencontradas, resolveu checar com seus próprios olhos, mas se precavendo-se para não ser cegado, caso o homem o considerasse um intruso. Certa manhã, em que todos dormiam, saiu sorrateiro. Pegou uma trilha, foi apanhando folhagens, fez um saiote e um cocar de folhas com as pontas para baixo, amarrando-o em torno da cabeça de forma tal que resguardava seus olhos, sem impedir-lhe a visão. Considerou-se protegido, caso o homem viesse a importuná-lo; afinal, ele só queria conhecê-lo, conversar, perguntar-lhe se era do mal.

Caminhou, caminhou. Adentrou a mata. Sedento, já era começo de tarde, bebeu a água da mina que o riacho gerava. Sentou-se na pedra, a mesma em que estava agora. Olhou para a outra margem, por entre as folhas de sua viseira protetora, e lá estava Asroni; ele o fitava sem curiosidade ou hostilidade. Osan tremeu, não acreditou. Aquele homem era realmente estranho, se equilibrava, sem auxílio de bengala, na única perna que possuía. A cor da pele igual a noite sem lua ou estrelas, mas que brilhava em intenso fulgor. Usava um gorro vermelho, parecido com o do Papai Noel, sem o pompom branco na ponta. Não era grandão, tinha, mais ou menos, o tamanho de seu pai e de seu avô. Fumava um cachimbo curvo, volatilizando, em baforadas, fumaça de aroma agradável. Não conseguiu decidir entre fugir ou ficar, já que, hipnotizado, fascinava-se. Enfim o havia encontrado. Perguntas e mais perguntas deixaram sua boca aberta, ficou mudo com as palavras procurando a saída.

Com uma das mãos segurava o cachimbo, com a outra fez um gesto que significava "venha, atravesse o rio". Osan sentiu-se abduzido, em passos lentos, foi por entre o raso do riacho. Seus tênis e meias encharcavam-se, seu saiote de folhas flutuava e o sustentava por sobre as águas. Silencioso, Asroni pitava, extraindo, lentamente uma fumaça que bussolava o caminho, que com uma só perna, sem percalços, percorria. Olhava, enigmaticamente, para o pequeno, adornado de folhas. Chegaram a uma campina, e no centro dela havia uma cabana igual às histórias ouvidas. Diferente da soturnidade que imaginara, era bonita com variedades de flores e plantas ao seu redor, separadas em canteiros, que forneciam a impressão de um grande tapete, caprichosamente bordado com cores e texturas admiráveis. Ao abrir a porta, percebeu dois banquinhos de madeira de três pernas, colocados um em frente ao outro. Ainda dominado pelo inusitado, Osan sentou-se e aguardou. Em silêncio, o senhor, de uma perna só, escolhia folhas secas dependuradas em feixes sobre o fogão a lenha, as esfregava com as mãos, até se tornarem fragmentos miúdos. Colocava numa vasilha de barro e logo despejava a água que borbulhava em um recipiente de ágata. Depois de aguardar alguns instantes a depuração da infusão, coou, colocou-a em duas canecas de barro, ofereceu uma para Osan, servindo-se da outra. Sentou-se defronte ao pequeno encharcado, oscilando entre curiosidade e medo. Sorveu aos goles o chá, soprando para esfriar, e incentivou o menino, que desconfiado olhava para a caneca, a fazer o mesmo. Acendeu, com uma brasa do fogão, o cachimbo curvo e começou a narrar.

Não sou lenda. Sou real, acredita agora? Não esperou a resposta do garoto, que o olhava incrédulo. Continuou: *A história é muito simples. Eu vivia de derrubar árvores. Pagavam bem por cada uma abatida, quanto mais velha e grande, mais dinheiro. Um dia, pensando no lucro, derribei o máximo possível. Mas, apesar do cansaço, decidi continuar. Só mais uma, pensava, só mais uma. Aconteceu o acidente e minha perna se foi. Fiquei entre a vida e a morte no hospital. Sonhei, dali em diante eu teria que cuidar e zelar das árvores e plantas. Como fiquei sem amigos, os parentes sumiram, vim para cá morar nesse canto da mata. Aprendi sobre o poder de cura e de morte das plantas, folhas e raízes. Quando elas deixam de existir no mundo, é um conhecimento, uma possibilidade de cura, que deixamos de ter. Sabe, menino, quando vejo que alguém entra aqui para feri-las, como um dia já fiz, eu o espanto. Vejo que você gosta das plantas. Quer aprender?*

Osan, curioso que só, assentiu. Difícil seria convencer a família, se embrenhar pelas matas em companhia do senhor com o gorro vermelho, sobre o qual inventavam história para assustá-lo. Arguto, Asroni deu para o menino algumas folhas, recomendando-lhe que preparasse um chá para a avó — que sofria calada de dores nas pernas — e a informasse onde aprendera e com quem. Pedir permissão, não mais sair às escondidas. Desse dia em diante, Osan não mais cabulou, tornando-se um aluno interessado, principalmente nas aulas de Biologia. Aprendia com o velho e ensinava a ele o que estudava na escola. Entusiasta, terminou os primeiros estudos, entrou na faculdade, especializou-se em etnobotânica e viajou pelo mundo pesquisando os efeitos curativos das plantas. Sentado na pedra, no mesmo lugar em que encontrou Asroni, recordava como foi orientado e incentivado, sentia a presença dele, sabia que mesmo depois de ter morrido, ele continuaria protegendo aquele pedaço de verde.

OXUMARÊ

Sincretizado com o vodum Dan, rei da nação jeje, o orixá Oxumarê do panteão nagô representa a mobilidade contínua e também a riqueza. Oxumarê significa literalmente "arco-íris" em iorubá. Está essencialmente ligado à serpente, que o representa e se movimenta entre o céu e a terra por meio do arco-íris e também das cachoeiras — para alguns, é Oxumarê o dono das quedas-d'água, e não Oxum, deusa dos rios. É símbolo da agilidade, da destreza e da sinuosidade das cobras. É também o dono do cordão umbilical. Embora em certos mitos Oxumarê seja descrito com características hermafroditas, muitos ramos do candomblé insistem em afirmar que o orixá é exclusivamente masculino. Seus ilekês (colares rituais) são feitos em geral de contas amarelas rajadas de verde ou, ainda, de preto.

Esmagar plantas

Giovana Madalosso

Começo a empacotar as coisas. Tenho só algumas horas, pouco tempo para enfiar toda uma vida dentro de um porta-malas. Vou pegando o mais importante, os documentos, as roupas, os brinquedos do meu filho. Depois abro a gaveta, tenho medo do que estou deixando para trás. Lá está a foto, a maldita foto. Eu com um baseado na mão, a brasa brilhando contra a noite. Jogo a imagem na mochila, não porque queira me lembrar desse dia, mas porque posso precisar dela.

Depois sigo na tarefa de editar o passado, tenho a sensação de que manter ou dispensar certos objetos muda também o que permanece em mim e, pensando nisso, tenho vontade de livrar-me de quase tudo. Mesmo o que não pertence ao passado recobre-se com a sua poeira.

Enquanto jogo na mala esse pouco, sinto uma fungada no meu tornozelo. É o Schopen, o que vou fazer com o Schopen? Quero deixá-lo, tudo de que eu não preciso é um coelho numa hora dessas, mas daí penso que se ele ficar, pode apanhar. Quem sabe ser espancado até a morte.

A primeira vez que o R. partiu para cima de mim foi antes de nosso filho nascer, num rompante de ciúmes. Tínhamos acabado de chegar de uma festa. Ele começou a me jogar contra a parede e a repetir: quem você pensa que é pra me deixar de lado? Nem lembro o que respondi, estava assustada, meus pulmões faziam um barulho estranho quando impactados contra a alvenaria, como o de uma boneca de borracha quando apertada. Pedi que parasse, mas claro que não me atendeu. Fui escorregando o corpo até cair no chão — às vezes se render é a melhor defesa.

Muitas mulheres teriam pulado fora naquele momento. Além de a agressão física ser inadmissível, e passível de repetição, a frase proferida era sintomática. *Quem você pensa que é?* anuncia um discurso delirante, em que um ser humano de fato acredita poder ser melhor do que outro. Por que não peguei meu coturno e dei um pé na bunda daquele maluco? Porque caí numa armadilha comum. Um rompante de ciúmes não deixa de ser uma declaração de amor às avessas, há algo de inebriante em ver alguém se descontrolar por sua causa e isso, somado a resquícios de paixão e promessas de "desculpe, nunca mais vou encostar um dedo em você", fez com que eu baixasse o coturno.

Um tempo depois, engravidei e passamos por um período de relativa calmaria. R. devia pensar que não tinha motivo para ter ciúmes de uma mulher rotunda, com as patas tão inchadas quanto o útero. Mas foi só o obstetra cortar o cordão umbilical que me ligava ao meu filho e ao pé da mesa que veio outra briga. Eu disse que ia procurar emprego, R. disse que não era o momento. Começamos a discutir, ele avançando para cima de mim. Uma hora falou: você não me escuta, e segurou-me pelas orelhas, apertou minha cabeça como se quisesse esfarelá-la. Falei: só quero trabalhar, ter meu dinheiro. Ele pegou uma nota de cem reais que estava sobre o aparador, rasgou-a e disse: tô cagando pro seu dinheiro.

Meu filho chorava, assistindo a tudo do sofá. Esgueirei-me de R., peguei-o no colo e corri para dentro do banheiro. Tranquei a porta. Choramos juntos naquele chão gelado por não sei quanto tempo. Aproveitei que estava protegida pelos azulejos e num certo momento gritei: quero me separar. Ele se aproximou da porta: eu não saio daqui.

Toquei a campainha com meu filho à uma em ponto. Eu sabia que todo dia a essa hora a mãe e o pai dele almoçavam. Foi a empregada quem abriu a porta, mas logo minha sogra apareceu. Que boa surpresa, disse. E foi pegando o neto no colo.

Serviram-me um bife à rolê. Só consegui comer um pedaço, preocupada com as palavras que também estavam sendo mastigadas na minha boca. Resolvi colocá-las para fora. Contei da primeira briga que tivemos. Depois da segunda, mostrando onde R. havia me machucado, contando sobre o desespero do nosso filho ao testemunhar tudo aquilo. O rosto do casal foi contorcendo-se. Quando falei do dinheiro rasgado, a mãe largou os talheres. Fiquei aliviada. Certamente repreenderiam o filho, o encaminhariam para a terapia que ele se recusava a fazer. Ou pelo menos apoiariam o meu desejo de separação. Tanto que em seguida frisei o tempo que fiquei no banheiro, uma hora e meia, mostrando o quanto estava acuada dentro da minha própria casa.

O pai inclinou-se na minha direção, as sobrancelhas brancas bem juntas. Me diga uma coisa, minha filha, o que você fez pra deixar ele irritado desse jeito?

Minha amiga riu da minha cara. Você acha que a família dele ia ficar do seu lado? Vá procurar a polícia.

Botei o meu filho no sling e fui até a delegacia mais próxima. Não havia ninguém na fila, mesmo assim tive que esperar. A morosidade do serviço público não deixa de ser um teste de resistência. Depois de cinquenta minutos, eu ainda seguia disposta a dar queixa. Porém, o funcionário me explicou que aquele não era o melhor lugar. Recomendou que eu fosse até a Delegacia da Mulher, passando antes no IML para um exame de corpo de delito.

Meia hora depois, eu encostava meu sling em outro guichê. Dessa vez foi rápido. Entrei numa sala, contei o que aconteceu, mostrei os lugares que doíam na minha cabeça. A encarregada apalpou meu crânio, olhou entre os fios. Disse: não dá para ver nada. E em seguida, sussurrando: eles sempre batem na cabeça por isso, porque não dá pra ver.

Eu estava fazendo café quando ouvi o meu nome. Era a voz da minha sogra. Por que me chamava ao invés de tocar a campainha? Fui até a porta, meu filho engatinhando atrás de mim. Ao abrir, encontrei-a com as mãos ocupadas, segurando uma caixa. Ela me olhou com carinho. Disse: andei pensando muito em você. Fiquei feliz. Não devia ter concordado com o marido e veio conversar comigo. Ou perdoar-se pelos dois, trazendo um presente. Fiz sinal para que entrasse. Ela deu alguns passos, pôs a caixa no chão: vocês precisam é de um bichinho para aliviar o estresse. Baixei os olhos e vi um coelho encolhido no canto da caixa. Meu filho levantou-se, segurando-se na borda de papelão, e ficou olhando encantado para dentro.

Entrei na sala da delegada. Acomodei-me com meu filho em uma das cadeiras. Diga, meu anjo. O que posso fazer por você? Contei o que aconteceu, mostrei o atestado do IML. Ela balançou a cabeça: não acharam marcas no corpo, infelizmente esse atestado não prova muita coisa. Depois, olhando para mim: você tem certeza de que quer dar queixa? Fiquei surpresa com a pergunta. Ela apontou para três pilhas de papel atrás dela e continuou: tô cansada de mulher que vem aqui reclamar, depois perdoa o marido e quer retirar a acusação. Eu disse que não retiraria. Ela pareceu contrariada. Olhou de novo para as pilhas, falou em tom de desabafo: sou só eu e a Vanda para atender todas as mulheres da cidade e dos municípios vizinhos, não tô dando conta. E eu com isso?, pensei, mas não disse nada. Ela continuou: você acredita em Deus? Balancei afirmativamente a cabeça, achei que pegaria bem acreditar. Então vamos fazer o seguinte: você reza. Pede pra Deus compreensão pra perdoar esse homem. Se não der certo, volta. Dito isso, me acompanhou até a porta, abrindo um sorriso. Percebi que não tinha quase nenhum dente de trás.

Depois de passar o dia cuidando do meu filho e limpando os cocôs do Schopenhauer — foi R. quem deu esse nome ridículo para o coelho —, menti para o meu marido que precisava ir ao médico e saí sozinha.

Fui fazer uma entrevista de emprego. A conversa foi boa, mas sem garantia, eles ainda iam entrevistar outros candidatos. Mesmo assim voltei para casa fazendo planos, pensando que o salário podia pagar um aluguel e uma babá, me sentindo bem como não me sentia há muito tempo.

Ao abrir a porta, o sopro desfez-se. Encontrei o coelho com um olho fechado, coberto de pus. Perguntei a R. o que tinha acontecido. Ele disse que o Schopenhauer tinha saído correndo e batido a cabeça na quina da mesa de centro. Olhei para o móvel, tinha o triplo da altura do filhote. Não dá para acreditar que ele fez isso, falei. Não dá mesmo, R. disse, esse coelho é um idiota, não honra o nome que tem. Depois, percebendo que foi ríspido, aproximou-se para fazer um carinho no coelho, que se esquivou dele. Mas eu já avisei pro Schopen que não é mais pra fazer isso. Não avisei, filho? Olhei para o nosso menino, encolhido num canto, como o bicho. *Num é pa fazê, num é pa fazê*, repetiu com uma voz fina, vacilante, como se nascida de dentro de um poço. A partir desse dia, toda vez que meu filho dirigia-se ao pai, dirigia-se com essa voz.

Peguei meu filho, o Schopen e fui para a casa da minha mãe. Não era o melhor lugar do mundo, ela morava com o marido num sobrado de setenta metros quadrados atulhado de tranqueiras, mas pelo menos lá eu me sentia segura.

Na mesma noite, a campainha tocou. Era R., trazendo flores para mim e um bolo para a minha mãe. Coitadas das flores, quanta merda têm que apagar com seu perfume. Coloquei o buquê num vaso e sentei-me para conversar com ele.

Disse que me amava. Que sofria de ciúme, mas ia fazer terapia, tomar remédio se fosse preciso. Eu poderia procurar emprego, fazer o que quisesse, nunca mais ia encostar um dedo em mim. Olhei para o meu filho, apreensivo no canto da sala, o rosto contraído, como se fosse defecar. Talvez estivesse defecando, depois encontrei a fralda cheia.

Falei para R. que não ia voltar. Ele insistiu mais um pouco. Disse que eu deveria pensar no nosso filho. Respondi que era nele mesmo que estava pensando. Depois de esgotar mais alguns argumentos, R. recomendou que eu considerasse mais um pouco a decisão. A separação poderia ser muito ruim para mim. Como assim?, perguntei. Tem coisas do seu passado que não vão pegar bem na Justiça.

Entrei na sala da advogada. Conversamos um pouco, a secretária nos trouxe um café. Mostrei a foto para ela. Quando seu marido tirou essa foto? Um pouco antes de eu engravidar, respondi. Ela analisou a imagem. Não havia muito para ver além da noite chapada, só não mais chapada do que eu, rindo com os olhos vermelhos e o baseado na mão. Reafirmei para a advogada que aquilo fora um caso isolado, durante umas férias que eu e R. tiramos na Bahia. Na vida real, eu só era usuária de cafeína. Era a única droga que me dava barato para fazer mais passeios ao parquinho, cozinhar mais papinhas, limpar mais cocôs. E você não fotografou ele fumando? Nunca imaginei que ia precisar disso, respondi. Ela seguiu com os olhos na foto: você continua com a mesma carinha. Como vamos provar que esse registro é velho? Era curioso, porque eu tinha a sensação de que havia envelhecido. Mas talvez fosse só tristeza.

Ela terminou seu café. Em seguida, me explicou que, se fosse há alguns anos, era garantido que uma acusação caluniosa como aquela não ia dar em nada. Mas os tribunais e os conselhos tutelares tinham sido ocupados por evangélicos, conservadores. Isso, somado ao fato de estarmos numa cidade pequena, onde o pai do meu marido tinha sido vice-prefeito e ainda exercia alguma influência, me colocava numa posição vulnerável. Eu podia conseguir a guarda do meu filho. Ou perdê-la totalmente. Não dava para saber.

Minha mãe comia o bolo que R. lhe trouxe. Sentei-me à mesa da cozinha, contei da advogada para ela. Pensou antes de falar, juntou migalhas no canto do prato. Depois levantou os olhos e disse: volta pra casa, pelo menos tenta. Não tem nada pior do que ficar sem um filho.

Voltei para casa dois dias depois. Quando cheguei, R. me beijou na boca. Fechei os lábios, não suportaria sua língua na minha. Ele estava saindo para o trabalho, me pediu que eu fizesse um café. Enquanto a água esquentava, ouvi ele conversando com meu filho, dizendo que a mamãe voltou porque ama o papai. Senti tanta raiva que estiquei a mão até o vaso que eu mesma plantara, que eu mesma aguara, e esmaguei as azaleias. Precisava esmagar qualquer coisa viva.

Ele saiu. Desarrumei a mala, chorando discretamente para meu filho não ver. Tentei me distrair arrumando os quartos e a cozinha, mas a casa toda cheirava a ele. E seu cheiro tornara-se insuportável para mim.

Botei meu filho no sling. Fui até uma loja de conveniência. Pedi uma garrafa de Smirnoff. Ia pegar refrigerante para misturar, mas lembrei do meu filho, suco ele também podia beber.

Com as bebidas na bolsa, bati na porta da minha amiga. Ela era jornalista, trabalhava em casa, sempre tinha algum tempo livre. Abriu, abraçou a mim e ao meu filho, sabia que eu estava na merda. Sentamos na sua sala minúscula. Nunca entendi porque alugara um apartamento tão feio. A única janela do ambiente parecia uma janela de banheiro, de tão pequena.

Começamos a beber a vodca com suco de laranja. Logo entrei num estado de relaxamento, falando bobagem e rindo como não ria há muito. Enquanto eu contava alguma história absurda, ela virou para mim e disse: agora você voltou a ser você. Pensei naquilo, pensamos juntas. A vodca me desinibira, me fizera sair de um estado constante de medo. Me dei conta do quanto andava dominada por esse sentimento. E do quanto R. alimentava-se dele. Era a partir do meu medo que ele crescia. Você tem que quebrar essa dinâmica, minha amiga sugeriu. Ou você vai ser sempre uma mulher esmagando plantas. O que eu faço?, perguntei. Sei lá, respondeu, e ficou bebendo em silêncio.

Virei para a janela. Um arco-íris havia aparecido. Era um arco-íris meio capenga, com poucas cores, talvez por causa da poluição das fábricas em volta da cidade. Debrucei-me na esquadria exígua, fiquei olhando para fora, para onde o arco terminava, em algum ponto distante, a noroeste de nós. Eu nunca faria a loucura de ir embora sem destino. Sinal de que era isso que eu deveria fazer.

NANÃ

Chamada carinhosamente de "avó" por muitos adeptos do candomblé, Nanã (também Nanã Buruku ou Buruquê) é divindade ligada aos mistérios da morte e do renascimento. Seus elementos primordiais são o barro, a lama, a chuva, as águas paradas, a terra molhada, os pântanos e os manguezais. Tem profunda ligação com o reino dos mortos. É tanto um vodum do panteão jeje quanto um orixá nagô. Mãe de Omolu/Obaluaiê, Euá, Oxumarê, Ossãe e Iroko, é a matriarca da família Iji (ou Dambirá). Vários mitos apontam-na como esposa de Oxalá. Nanã é orixá de um tempo ainda anterior à Idade do Ferro, portanto não aceita objetos de metal em determinados rituais. Seus colares votivos são feitos de contas brancas rajadas de azulão ou, ainda, de contas lilases.

Animais do lamaçal

Luisa Geisler

A campainha toca.

Sentada no sofá, ela tem os pés em uma bacia de água morna. Tem argila no rosto inteiro; uma barriga e uma careca; um bebê na barriga. Ana tem trinta e oito anos. O bebê tem vinte e três semanas. Ela tem um câncer de mama. Ela tinha uma conta no Instagram e um blog a respeito, com dezessete mil seguidores. Ana se inclina e fecha os olhos.

A campainha toca, junto com o celular.

O apartamento é feio e minimalista por falta de dinheiro. A televisão fica em cima de uma pilha de livros, muitos sobre Psicologia. O DSM-V gasto, cheio de post-its, estabiliza a base. Uma gata tigrada anda até uma mesa de MDF. A gata sobe na mesa, cheirando o laptop. Além da mesa, um fogão, uma geladeira, uma bancada, um micro-ondas, armários aéreos cheios de potes plásticos vazios. Não tem louça suja.

A campainha e o celular tocam, enquanto começam a bater na porta.

— Cê tem chave! — Ana grita.

Após um tilintar, Eva abre a porta. A gata se roça nas pernas da futura avó, que a acaricia.

— Não queria ser grossa. — Eva coça a gata. — Sabe, a vó que chega se metendo, né...

— Sei bem. — Ana segue de olhos fechados.

Eva descansa flores sobre a mesa, ao lado de sacolas de mercado. Abre a geladeira e começa a guardar leite, iogurte, ovos e comida.

— Cê já notou a quantidade de coisa estragada...? — Eva tira sacos plásticos com legumes e os coloca na pia. Remexe cada vez mais para dentro.

— Ando sem fome — Ana responde.

Eva abre uma tigela coberta com papel alumínio e recua com uma careta. Ainda tirando e colocando potes da geladeira, diz:

— Quando foi sua última?

— Quarta.

A futura avó olha a futura mãe. Anda até ela sorrindo e faz carinho na sua cabeça.

— Como cê tá? — ela senta ao seu lado.

— Igual.

Eva beija a testa de Ana, que se aninha na mãe. A mãe faz carinho no cabelo oleoso da futura mãe.

— Cê tem mexido no seu Instagram?

— Não.

— As pessoas mandavam coisas bonitas...

Eva suspira. Na rua, uma buzina. Olha para Ana, para a janela, as venezianas fechadas, para a gata sonolenta, para o próprio colo, e diz:

— Você tá pele e osso.

— O tratamento.

— Comeu?

— Comi.

— Quando?

— Agorinha. — Ana dá de ombros.

— Quer comer agora? Eu trouxe arroz, feijão, paçoca que dona Lurdes fez só pra você... Deixei uma lasanha no freezer, uma torta de palmito.

— Mãe, eu tô muito sem fome. Muito.

Eva se levanta e mexe nos potes. Monta um prato com arroz e panqueca bolonhesa. Enquanto Eva programa o micro-ondas, espera o prato e finaliza o prato com salpicão, alface e tomate, Ana liga a televisão. No Discovery Channel, uma chamada para a série de episódios a respeito de tubarões, uma semana inteira sobre o tema, a Shark Week.

Eva se senta ao lado de Ana e estende o prato fumegante. Cheiraria bem.

— De verdade. — Ana olha para Eva. — Eu não ando segurando nada na barriga.

— Por favor?

Elas ficam sentadas, assistindo à televisão, um documentário a respeito de maus-tratos de golfinhos em parques aquáticos milionários.

— É bem bom esse. — diz Ana.

— Já viu?

— Gosto dos golfinhos. — Ana aponta para a televisão, alcança o mar. — Tem um cara que estuda comportamento de animais aquáticos. Parece que golfinhos podem se matar.

— Como um golfinho se mata?

— Eles ficam tempo demais na água de propósito e sufocam.

— Tá brincando.

— Não.

— Cê tem muito tempo livre.

— A gente estuda tanto o espaço, com NASA e tal. Mas tem uma parte do oceano que não tem luz. E tem uns bichos que são umas águas-vivas com dentes no meio de um lamaçal.

— E golfinhos suicidas.

Riem, e então assistem aos golfinhos.

Eva coloca o prato sobre uma almofada e o coloca no colo de Ana, que ignora. Um ex-funcionário de um parque relata sua experiência, o ambiente insalubre, a qualidade de vida artificial, a longevidade mínima em comparação com a natureza. Eva baixa os olhos para os pés de Ana, que ainda estão na bacia de água.

— Esses golfinhos suicidas parece que querem punir os outros.

— Oi?

— Sabe, imagina se eles quisessem ter um filho, tentassem, tentassem, tivessem uma casa linda...

— Mãe.

— Se fossem atrás...

— Cê quer mudar de canal, é isso?

— Aí na primeira dificuldade, você não quer nem tentar comer.

Ana resmunga. Corta um pouco de panqueca com arroz e come. Dá um sorriso de boca cheia, percebe que gosta. Avança. A comida cheira bem.

— Calma... — Eva diz.

Ana para de comer e baixa os talheres. Respira com demora e alcança o prato para a mãe. Na televisão, outro especialista argumenta que golfinhos podem viver em cativeiro, vivem mais tempo.

— Todo mundo tem tentado falar contigo. — diz Eva. Ana ergue um pé e começa a mexer os dedos já inchados da água.

— Eu sei.

— Tua sogra me liga todo dia.

— O Marcelo sabe como eu tô.

— Acho que é mais fácil tentar falar comigo do que com ele.

Ana começa a responder, mas levanta. O prato cai. Tropeça na bacia, ainda corre para o banheiro. Rápido. O prato quebrado e nem ouviram. Eva tenta seguir Ana, que bate a porta. Eva suspira, junta um pano de prato e começa a secar a sala antes que o líquido chegue nos livros e no roteador. Afasta a gata dos cacos, criando uma barreira com panos. Suspira com o som de vômito.

— Eu devia mastigar mais... — diz Ana ao voltar para a sala.

Ainda está com o rosto marrom e duro da argila, apesar dos borrões. Abre uma gaveta do lado do fogão e traz panos. Ela se agacha ao lado da mãe, mas acaba se desequilibrando. A mãe a segura, guiando-a até o sofá, sob resmungos fracos. Eva começa a varrer o prato e os restos de comida.

— Se você pudesse comer qualquer coisa no mundo, o que seria? — ela pergunta, recolhendo cacos para o lixo. Coloca dentro de outro saco plástico.

— Pra quê?

— Só me conta, Ana.

Ana sorri. Na televisão, golfinhos nadam entre algas.

— Sabe o ponto de ônibus do lado de casa? — Ana olha Eva voltar com os panos para terminar de secar. — Quando eu fazia Psicologia, eu pegava o ônibus cedo. Tinha o seu Alcides, que vendia empada que a esposa fazia. Era de frango com requeijão, mas tinha um molho naquele frango...

Termina de secar o piso, guarda a bacia, os panos. Pergunta se Ana separa o lixo. A coleta seletiva não passa naquela região. Ana respira pela boca, os olhos fechados, o peso inteiro do corpo no sofá, cada milímetro do corpo que não precisa ser sustentado por ela. Eva abre a bolsa e busca o celular. Vai para o quarto.

Ana não ouve a conversa, ou conversas, porque pega no sono e acorda de novo. Ouve a mãe dizer você respeite seus mais velhos. Ouve que sim, sim, o ponto de ônibus da Travessa Getúlio Vargas, perto de casa. Histórias. Ana acorda. A mãe fala de Ana, um ser alheio, não sabe se a mãe pinta um exagero ou se fala a verdade. Como se Ana fosse uma caricatura, um personagem que existisse para arrumar empadas, para despertar emoções em alguém. Agora, eu disse. Ana não sabe quanto tempo passa.

Um golfinho corre feliz no oceano, ele se comunica por ecolocalização, biossonar. Inspirados nisso, humanos inventaram ecolocalização artificial, como radares, sonares e equipamentos de ultrassonografia. Ana acorda e dorme. Você respeite seus mais velhos, menino, não sabe quanto tempo tem que moro aí. Ultrassom e assobio-assinatura. Cliques e estalos. Não, pede pra atender agora. E não tem umas sobrando, se não tem umas do dia de amanhã. Ana dorme. Manda o menino, pode mandar sim. Por favor. Ana ouve muitos obrigadas, muitos beijos para mães, muitos cliques e estalos e biossonar. Golfinhos têm dialetos próprios para cada bando e, ao misturá-los, muitos não conseguem entender um ao outro? Nadam em água límpida. Quem dera ser um peixe.

Eva tem um sorriso no rosto, carregando um pacote de lenço umedecido para bebê, uma xícara com água, uma esponja em forma de polvo e uma toalha. Ela se senta ao lado de Ana e começa a limpar o rosto.

— Eu devia tomar banho... — a filha resmunga.

— Sabe — Eva continua limpando o rosto de Ana —, o teu irmão me falou de uma coisa que fazem nos Estados Unidos.

— Falar inglês?

— Na Europa também, ele disse... — ela esfrega a sobrancelha de Ana com força. A esponja se enlameia.

Ana fica de olhos fechados, enquanto Eva limpa a testa, removendo a argila. Mergulha a esponja, cria espuma. Sob o som de um narrador falando de golfinhos inteligentes e potencialmente suicidas em cativeiro, termina de limpar o rosto de Ana. Tudo cheira a Johnson's Baby. Finaliza com o lenço umedecido. Seca o rosto de Ana, que o descansa no sofá. Ana se sente bem.

Eva levanta. Anda até a bolsa e começa a fuçar de bolso maior para bolso menor. Revira o barulho de chaves e kit de maquiagem, revira uma carteira que sai da bolsa, até achar um par de cigarros enrolados manualmente. Volta para o sofá e entrega para a filha. Elas se encaram. Ana reconhece o perfume doce.

— Depois de todos os discursos sobre drogas...

— Eu sei.

— Sobre os perigos de traficantes de drogas e violência...

— Eu sei.

— Sobre fazer a coisa certa...

— Isso é a coisa certa.

Ana sorri. Usa a toalha de rosto para secar os pés e tornozelos que formavam uma pocinha.

— Da onde saiu isso? — diz Ana.

— Não muda de assunto.

— Eu não tô. — Ana faz uma careta teatral.

— Nos Estados Unidos, chamam até de "medicinal". — diz Eva. Ana sorri e joga a toalha longe. Tudo cheira a Johnson's Baby e maconha e todos os sons são narradores de golfinhos e um casal brigando do lado de fora.

— Eu tô morrendo, mãe. — diz Ana.

— Ana, você já tentou de tudo. Não custa tentar.

— Foi o Thiago que te deu isso? — Ana aperta os olhos para o cigarro, como se escondesse um local de processamento e fábrica.

— Pra segurar comida. — Eva olha para baixo. — O Marcelo disse que não te vê mais comendo.

— Então você tá falando com o Marcelo?

— Não muda de assunto.

Eva pega a mão de Ana. Ana balança a cabeça e devolve o cigarro.

— Eu não vou fumar maconha pra ter fome.

— Não é pra fome. É pra sintoma, pra dor, pra náusea.

Ana olha para Eva e balança a cabeça. Eva cruza os braços.

— Seu bebê vai viver de luz, então?

— Nunca viu pacote de cigarro com aquela foto do bebê no vidro? — Eva finge olhar a gata que se lambia em um canto. — Fumar faz mal.

— Porque um... cigarrinho desses é pior do que quimioterapia, né?

— Cigarrinho. — Ana ri com honestidade.

— Sei lá como chama.

— Já viu Chernobyl, aquela série?

— Eu não vejo Globo, já te disse.

— O livro da Svetlana Sei Lá o Nome. Tipo. A quimio já faz mal. Isso faz mal.

— Você sabe o que vai acontecer se não comer?

— A mesma coisa que vai acontecer se eu comer, na verdade.

O interfone interrompe um especialista que explica que não há como saber se um golfinho é de fato suicida. Eva corre para sair do apartamento levando a carteira, enquanto o especialista com um monte de livros fala que pode ser apenas uma disfunção neurológica perfeitamente natural, ligada a ambientes de cativeiro, à tensão da exposição, à comunicação pouco eficaz. Eva olha o cigarro de maconha, mas a amostragem não é conclusiva: um suicídio exigiria uma noção de ser, de *ethos*, de existência, uma separação de indivíduo e de coletivo, de interior e exterior. Não há como saber se um golfinho teria toda essa complexidade e — se tivesse — para quê.

A porta fecha e Eva entra no apartamento com um pote de sorvete. Abre o pote com um sorriso. Tudo cheira a Johnson's Baby, maconha e empadas. Tudo é um narrador com imagens tristes de golfinhos que saltam para treinadores e fazem performances em estádios. Eva monta um prato e esquenta algumas no micro-ondas. Ana coloca o cigarro de maconha no braço do sofá e tenta levantar. Bamboleia. Volta a sentar e fechar os olhos. Acorda para o perfume de empadas à sua frente. Eva sorri.

Ana come uma empada e tudo são empadas. Tudo são farinha, ovos, manteiga, pimenta-do-reino, cebola, salsa, cebolinha, tomate, pimentão, um pouquinho de coentro, mas bem pouquinho, e requeijão. Eva segura o pote, o pote de ouro do fim do arco-íris.

— Filha. — ela diz. — Esse negócio não tá certo, minha filha. Câncer. Você é analista de crianças, filha.

— Terapeuta, mãe. Analista é...

— Analista de criança não tem câncer. Vocês têm salas de espera coloridas com brinquedo babado. Não é justo e, acima de tudo, não é certo. Não é.

— Você diz isso com tanta calma.

— Eu só consigo ficar calma.

Ana para de comer, olhando para frente, para os golfinhos. Eva lambe os dedos e nota Ana. Olha.

— Não vai comer mais?

— Se eu conseguir segurar isso, já tá bom, não?

Ana olha para a mãe por alguns segundos. Olha para o cigarro, que permanece no braço do sofá. Eva estende a mão e o pega.

— O bebê aguenta um troço que injeta na veia e que faz cair cabelo, mas um... um... — Eva para, empurrando o cigarro no colo —... um coisinho desse, isso nem pensar.

— Acho que a química tem limite.

— Ana.

— Eu tenho um limite. — Ela pausa. — Não, nem pensar. — Ana procura a gata, procura a televisão, procura Marcelo, que não mora ali. — Eu agradeço, mas não.

Eva traz uma cadeira e Ana a usa para apoiar os pés. No fundo, golfinhos são livres.

— Ele tem ajudado? — diz Eva.

— A gente tá junto, não tá?

— Tá?

— Tá.

— Fala com eles em algum momento.

Falam mal das manias dos sogros de Ana. Falam das vantagens de morar sozinha. A mãe fala da casa nova onde tem trabalhado, fixo, três dias na semana. Ana não vomita. A louça se lava. Todas as lixeiras estão vazias. A comida estragada está em uma sacola fechada ao lado da porta.

— Eu tenho que ir por conta do Lê. Ele tava doentinho quando eu saí.

— Você ainda tá cuidando dele?

— Todo mundo trata ele que nem criança. Gosto de ficar de olho.

— O que ele tem? Reumatismo?

Eva ri.

— Não, uma otite por conta daquela piscina que montaram lá...

— A criança velha. Pelo menos não é câncer.

Enquanto arruma a bolsa, Eva separa três beques na mesa. Organiza-os perpendicularmente, remexe as sacolas do Carrefour que já estão fechadas, murmura contando se tem chaves, carteira, bolsa, se não esqueceu nada.

— É meu presente de vó, tá bem? Você precisa comer. Energia.

— Tá.

— Você não pode ser um golfinho suicida.

— Golfinho suicida?

Eva ri.

— Só você pode ter piadinhas?

Ana ri ao se levantar. Bamboleia ainda. Bambolear é o melhor verbo, porque é como se tivesse um bambolê. Ana e Eva se abraçam como podem por conta da barriga.

— Brigada mesmo... — Ana suspira. — Obrigada por cometer esse crime por mim. Por me cuidar.

— Eu te cuido pra você cuidar da gente. — Eva sorri.

Enquanto Ana finge ajudar, Eva junta a própria bolsa, os sacos de lixo, pega a chave, anda até o elevador. Ana fica apoiada na porta, observando a mãe. A mãe e a filha trocam fofocas da vizinha neurótica, lá de perto de casa. Reclamam do vizinho que coleta cachorros da rua, mas nunca castra as gatas, que ficam miando no cio. Ana reclama da própria gata, que precisa de uma ração cara por conta do problema renal, mas agora que não mora mais com Marcelo, não tem como pagar.

— Como chama a ração? — diz Eva.

— É... Royal Canin. Royal Canin Renal. — Logo que o elevador chega, a mãe abre a porta. — Por que a dúvida?

— Só pra saber. — Eva tem um sorriso imenso.

A filha observa a mãe desaparecer. Volta para dentro, olha para a casa, arrumada porque tem pouco que arrumar. Caminha até o quarto, suspirando. A gata a segue. Uma música instrumental toca os créditos do especial dos golfinhos, anunciando que, a seguir, o primeiro episódio da semana do tubarão, um especial sobre o tubarão-branco.

Ana está deitada no colchão de solteiro no chão. Ao lado dela na cama, ainda está o pote de argila hidratante aberto. Ela o fecha, mas sabe que deve ter secado. Não custa tentar, ela pensa. Do outro lado do colchão, o carregador na tomada envia energia para nada, ao lado de dúzias de cápsulas coloridas caídas, uma caixa para comprimidos, além de potes e cartelas com rótulos e tarjetas. Perto da parede, duas malas abertas, roupas e cacarecos vazando para os lados. Ana olha para o teto, tenta localizar a infiltração que a incomodou no dia anterior. Não está lá. Ela cata algumas cápsulas e toma. Ana fecha os olhos.

Ao acordar, Ana anda até a sala. Todas as venezianas estão fechadas, porque sempre estão fechadas. Apoiada na pia, o barrigão servindo para ajudar com o pote de sorvete, ela come uma empada fria.

Olha o beque sobre a mesa. A gata a segue, sentada ao seu lado, olhando-a à procura de farelo. Ana sorri e balança a cabeça. Pega um dos cigarros, uma caixa de fósforos e senta-se no sofá. Agora, passa uma reprise sobre animais pré-históricos. Ana desliga a televisão. Acende o fósforo, deixa queimar e o joga para o lado. Acende mais dois fósforos até enfim acender um cigarro, que fuma. Fuma, tosse.

— Eita! — ela ri. Tosse mais.

— Faz tempo. — ela sorri para a gata.

Ana fuma mais uma vez e dá certo. Traga. Ana fuma maconha. A noite avança. Ela liga e desliga a televisão, catando no celular algum vídeo no YouTube, que tentará transmitir diretamente para a televisão até lembrar que os canais a cabo são gato e a televisão não é smart. Vê uma receita no BuzzFeed no celular. Canais de televisão passam rápido, algumas vozes, algumas palavras ecoam. Eva se mexe no sofá, muda de lugar. Ri de algo na televisão ou no celular. Deita de barriga pra cima. Não entende. Descansa os olhos.

Ela puxa a gata para o sofá. Fala com ela, mas se entendem pseudofrases soltas, tipo "eu tenho razão, né?", "é um bebê, poxa", "que merda, que merdaaaaaaaa". Ana começa a rir. Ana gargalha.

Ela fuma mais.

Deitada de barriga pra cima, ergue a gata. Coloca a gata em cima da própria barriga. Gargalha. Ana se levanta e come mais empadas. Volta a se deitar no sofá. Fuma mais um pouco. Tudo cheira a Johnson's Baby e maconha. Tudo é jazz animado de fundo.

Ana corre para o banheiro e vomita, a gata se senta ao lado. Quando ela se senta no chão do banheiro ao lado do vaso, tudo é vômito, cor de vômito, cheiro de empada vomitada, bile, ardência na garganta, cor de empada vomitada com um pouco de molho vermelho, tudo são os ecos da respiração de Ana se acalmando. Ainda tinha o beque na mão. Depois de limpar a boca com as costas da mão, fuma. Ao olhar para cima, encontra a infiltração que a incomodava. É claro que estava ali. Volta a fumar.

Ela se arrasta de volta para o sofá, ainda com o cigarro na mão, deixando uma trilha fedorenta pela casa. Mais vozes ecoam, alguma risada automática de plateia vindo do vazio. A sequência de imagens retoma um ritmo normal quando o celular de Ana toca e é sua mãe. Depois de recusar, a filha volta a fumar. Na sala, na televisão, no oceano, um Cronossauro nada com calma. Nada, nada e nada. O Lagarto de Kronos — um dos maiores pliossauros carnívoros do Cretáceo.

IBÊJI

Ibêji (literalmente "gêmeos", em iorubá) é a divinização da dupla de irmãos — ou irmãs — que compartilham o útero materno durante uma mesma gestação. O nascimento de gêmeos entre os nagôs é sinal de sorte e prosperidade. Os Ibêji representam o princípio da dualidade em tudo o que existe. Protetores de todas as crianças, celebram a brincadeira, a alegria, o viço e a espontaneidade do mundo infantil. Segundo certo mito, os Ibêji são filhos de Iansã, que os abandonou à beira de um rio. Foram então criados por Oxum. Não há transe de Ibêji, embora estes sejam confundidos com os erês — manifestações infantis da energia dos orixás —, também relacionados à dupla. Sincretizados com São Cosme e Damião, gostam de caruru, iguaria feita com quiabos. Seus colares rituais recebem contas de todas as cores, misturadas.

Cara ou coroa

Carlos Eduardo Pereira

Se diz da conciliação, vive lembrando da vez em que deu de meter o bedelho na quizila entre a bicha do carnavalesco e o presidente da escola, a bicha querendo que querendo um enredo de macumba enquanto o velho saudosista de falar dos carnavais antigos, saudosista de falar das brincadeiras de criança, dos bailes, das matinês, batendo na mesa, entrando numa de falar de voz grossa pensando que é chefe, mas é chefe de porra nenhuma, nem da escola nem de porra nenhuma, aqui não tem presidente, não tem Liga de Escola de Samba, quem manda nessa porra todinha é o Cara, se diz da conciliação porque pra resolver o problema podia ter sido pela base do tiro, ia ser fácil demais, podia ter dado uma ordem que não tinha nem desfile, mas decidiu que ia ter sim, mandou que o velho e que a bicha que se resolvessem, que eles fizessem um enredo que juntasse tudo, que tivesse criança, que tivesse brincadeira, que tivesse infância, ao mesmo tempo autorizou que tivesse orixá, problema deles, porque por mais que seja tudo do demônio, batuque, santo, samba, coisa do demo, pelo menos por enquanto ainda vai ter carnaval, carnaval dá movimento, movimento dá dinheiro, só precisa ver um jeito de acabar com a bagunça, que não seja por agora, mas a gente ainda arruma um jeito de conciliar, a bicha ficou felizinha, disse que nunca que ouviu tanto grito de fervor na Intendente Magalhães, disse que a comissão de frente, que as baianas, que estava tudo uma beleza, que se fosse na Sapucaí, não tinha sido tão bonito, o público no Grupo de Acesso é todo nosso, é Rio, comunidade, tá entendendo?, é torcedor, se fosse na Sapucaí, tinha muito turista, se fosse o Aladim voando em seu tapete, era bacana e coisa e tal, mas não era raiz, sendo Cosme, Damião, sendo Ibêji, o gringo não ia entender, porque isso tudo é muito coisa nossa, o velho ficou satisfeito também, do meio pro final da escola se viu brincadeira de festa, se viu rolimã, boneco de pano, índio, amarelinha, bailarina com pirata brincando num baile, foi por demais emocionante ver a minha bateria, ver a minha comunidade inteirinha chorando, eu chorando também, quando ergui cheio de orgulho o troféu de campeã das campeãs, o Cara arrumou desse jeito que ficou todo mundo de barriga cheia, mas isso foi antes, o Cara ainda nem era o cara na cúpula da facção, tinha bem pouco tempo desde convertido, o chefe chefe mesmo ainda era o Coroa, irmão do Cara, só que pouco tempo depois o Coroa morreu, mataram ele, daí que o Cara foi direto pro topo, hoje por aqui tudinho ele comanda, comanda o varejo do pó, comanda ataque a terreiro de umbanda, de candomblé, comanda o Bonde de Jesus, diz a imprensa que existe esse bonde, diz que é narcopentecostalismo, diz a imprensa que segundo a polícia, o mandante é mesmo o Cara, que segundo a polícia, essa vertente ameaça pra lá de duzentos terreiros, diz a imprensa que a polícia nesse caso são os bravos integrantes da Delegacia de Crimes Raciais e Delitos de Intolerância, os buchas que alegam que o Cara foi recém-ordenado pastor, afirma o delegado que sempre existiu essa situação de intolerância, mas tivemos piora nesse quadro quando indivíduos ligados à cúpula de uma facção resolveram de se converter, eles distorcem a doutrina religiosa e agridem as outras religiões, sobretudo as de matriz africana, conversão que acontece com muita frequência no lado de dentro dos presídios, os Bandidos de Jesus, tá copiando?, professamos nossos atos de fé, nada a ver com terrorismo islâmico, é outra parada, uma lógica que é muito diferente, geral tende a pensar que seja treta em território nacional, mas esse rolo é nós do Rio, e vai crescer, escreve aí, aqui nós ditamos as regras, a gente libera ou não libera esses terreiros de funcionamento, os horários lá das cerimônias, o uso ou não uso de fogos de artifício, as fogueiras, por aqui é proibido andar com roupa branca, com roupa de santo, a gente invade cada dia mais e mais terreiro, a gente destrói tudo que é oferenda, detona com imagem sagrada, ou melhor, não tem nada disso não de imagem sagrada, sifudê, outro dia mesmo invadimos um desses terreiros, lá em Caxias, a gente invadiu quebrando tudo que era imagem que tinha por lá, a gente acabou com as oferendas, botamos mãe de santo pra correr e o caralho, foi num sábado, a casa estava cheia, chegamos logo esculachando, mandando todo mundo sair fora, quebrando tudo, agora o terreiro tá fechado, a gente que tocou fogo em tudo e melhor mesmo que ninguém se meta a macho de voltar, tá ligado?, melhor ninguém voltar lá não, estudiosos atestam que não é de hoje que ocorre esse tipo de ataque, atestam que durante a Colônia e durante o Império a perseguição vinha por parte da Igreja Católica, atestam que durante a república vinha por parte do Estado, depois passou a ser por parte dos grupos neopentecostais, e agora os traficantes evangelizados, e nem vem com essa conversa de direitos humanos, vai pra porra com os direitos humanos, o nosso pessoal em Brasília que resolve essas paradas, pode crer que o doutor lá segura as pontas, hoje quase não vejo a criançada correndo atrás de saquinho de doce nas ruas do Rio, minha avó dava doce no terreiro que ela tinha lá pras bandas de Nova Iguaçu, caruru distribuído com fartura, uma celebração que era na base do som do tambor, eu molecote esperava essa data chegar com ansiedade, esperava os suspiros, os pirulitos, as paçocas, as cocadas, quitutes de tudo que é tipo, as guloseimas de Cosme arrumadas nuns pratinhos em cima de uma mesa enorme, mas como é que a gente faz?, os doces que tu veio comprando aos pouquinhos na Central estão todos escondidos lá no fundo, os saquinhos também, daqueles de papel, com a imagem dos santos desenhada na frente, mas me diz, como é que a gente vai fazer?, não sei se é seguro ensacar os doces todos no quartinho do quintal, alguém pode passar e ver, mas isso é o de menos, a gente faz isso de noite aqui dentro de casa com a janela fechada, mas e de manhã?, tu não tá nem maluco de dar doce no portão, fala sério, também não tem como distribuir pela praça, tá certo?, o carro tá com aquele problema de motor já faz um tempo, vagabundo pega a gente rapidinho se a gente tentar, o jeito é ir andando até o Andaraí, a gente faz várias viagens, quantas precisar, a gente enche as mochilas com o máximo de sacos que a gente conseguir, vai até a Paróquia, quantas vezes precisar de ir, e deixa os saquinhos com o padre de lá, acho que é o único jeito, sabe feijão fradinho?, então, tu pega e faz como se faz acarajé, separa uma pequena quantidade em folha de bananeira, à maneira do acaçá, cozinha em banho-maria, sobre gravetos colocados no interior de uma panela com água, depois de pronta, a massa é diluída em mel de abelhas ou num pouco de azeite de cheiro com sal, a Paróquia foi inaugurada em meados dos anos quarenta do século passado, depois que Dom Jaime mandou desmembrar as paróquias da Tijuca, do Grajaú e de Vila Isabel, portanto, de demarcação territorial compreendida entre a Barão de Mesquita e a Ferreira Pontes, passando em linha reta pelos terrenos da Fábrica de Tecidos Confiança, cópias da carta de fundação foram enviadas aos moradores e à fábrica solicitando contribuições, com a fundação da paróquia a Capela de São Cosme e São Damião, já existente no local, passou a gozar dos idênticos privilégios, honras e prerrogativas de direito pertencentes às igrejas matrizes, a festa da Paróquia será no dia próprio, dado e passado na Câmara Eclesiástica e Arcebispado do Rio de Janeiro, aos 27 de setembro de 1944, lavrado por Dom Jaime de Barros Câmara, arcebispo da Capital, a mãe do Cara e do Coroa ficou muitas vezes de barriga e acordava muito cedo pra ir pro trabalho fazer pro sustento dos filhos e, antes de dormir, ela fazia uma prece e botava seus meninos pra dormir com ela numa mesma cama, contando toda noite uma história que falava de Oiá, que andava pelo mundo disfarçada de novilha, um dia Oxóssi a viu sem a pele e não teve jeito que se apaixonou, casou-se com ela escondendo essa pele de novilha pra ela não fugir, Oiá teve dezesseis filhos com Oxóssi, Oxum, que era a primeira esposa de Oxóssi e que não tinha filhos, que criou todos os filhos de Oiá, ao primeiro a nascer chamaram de Togum, depois que nasceram os gêmeos Ibêjis, e depois deles Idoú, nasceu depois a menina Alabá, seguida do menino Odobé, e depois os demais filhos de Oiá e Oxóssi, os meninos pareciam-se com o pai, as meninas pareciam-se com a mãe, Oiá tinha os filhos que Oxum criava e assim todos viviam na casa de Oxóssi, um dia as duas mães se desentenderam por algum motivo, Oxum mostrou pra Oiá onde estava a sua pele, Oiá recuperou a pele de novilha, reassumiu sua forma animal, e conseguiu fugir.

OXUM

Oxum é a mãe das águas doces, a deusa iorubá do amor, senhora da fertilidade feminina, patrona da beleza e da faceirice, dona das joias de bronze e de ouro. Seu nome vem do rio Oxum, que atravessa o sudoeste da Nigéria. É a rainha da nação ijexá. Ao lado de Iansã e Obá, é uma das três esposas de Xangô, mas há mitos em que ela aparece ligada amorosamente a outros orixás masculinos, como Oxóssi, Ogum e Omolu. Oxum se manifesta conforme a diversidade das águas dos rios. Em meio à nascente de águas límpidas e tranquilas, comporta-se como menina. Perto das águas paradas e profundas, assume feições de matrona. Nas águas turbulentas das corredeiras, transforma-se em guerreira. Usa contas transparentes de cor amarela, em tom ora mais claro, ora mais fechado, e também é associada ao dourado.

Amor é Merthiolate e não band-aid

Rodrigo Santos

Dona Conceição se agachava com dificuldade, emitindo ruídos, para unir os cacos no chão do terreiro. Apenas o chacoalhar de suas pulseiras e o soluço de Vinícius cortavam o ar tenso. E os gemidos da pequena mãe de santo, enquanto flexionava as suas juntas.

Vinícius suspirava pra dentro, com a mão na frente da boca. Era filho de santo de Dona Conceição — chamada de Mãe Filhinha — e tinha sido o primeiro a chegar no terreiro naquela manhã.

— Vinícius, pegue a vassoura ali pra mim, por favor. Bora, meu filho! — Bateu palmas pra tirar o rapaz da letargia. — Xê, menino, deixe de chorar, vai. Vamos dar um jeito nisso aqui.

— Mas, Mãe Filhinha... O que esse povo fez com nossa casa?

Dona Conceição se levantou com os mesmos gemidos com que tinha se abaixado, e colocou delicadamente a mão nos seus ombros.

— Meu filho... São pessoas tristes. Pessoas tristes só causam mais tristeza, e o instrumento que elas usam pra isso é a maldade.

— A gente precisa fazer alguma coisa, minha Mãe! É revoltante... — Vinícius voltou a chorar pra dentro, com as mãos no rosto.

— O que a gente precisa fazer é tocar a vida, meu filho. Reorganizar o terreiro, repor o que foi quebrado, pintar em cima dessas bobagens que eles escreveram nas paredes.

— E a polícia? Por que a gente não cobra da polícia, fala com o Kayke?

Mãe Filhinha suspirou e sorriu, um sorriso onde cabiam pelo menos dois sóis, desses dos pequenos.

— A polícia não é a solução aqui. Muito menos esse menino Kayke. Agora enxuga esse rosto e vamos trabalhar. Eu tô velha demais pra ficar me agachando. Pega aquele espelho quebrado ali atrás da bancada, por favor.

Vinícius se abaixou e pegou o espelho, com o vidro quebrado e a moldura dourada.

— Mãe Filhinha... Por que a senhora não pede a Ela? Pra nos ajudar?

— E você acha que eu não peço, meu filho?

— Mas assim... — E se levantou. — Podia pedir com mais... mais força. Minha mãe contou que uma vez a senhora...

Mãe Filhinha bateu com as mãos no ar, como se para dispersar as palavras atiradas por Vinícius.

— Xê, isso é bobagem. Além do mais, orixá não é super-herói não, esse é um problema nosso. Agora vamo, vamo que eu quero arrumar isso tudo antes da Sara chegar.

— Ai! Ela falou na última live que estava voltando... Já acabou o curso?

— Não, são só férias. Só acaba ano que vem, mas quando acabar, ela já tem até emprego garantido em um restaurante chique do Leblon.

— Eita que essa menina tá que é só o poder!

Finalmente Vinícius parou de soluçar, e sorriu.

"Então é isso, gente! Semana que vem estarei de férias, então vou dar um tempo nos vídeos. Mas fica de olho, que eu vou postar alguma coisa lá de São Gonçalo pra vocês, mostrar o lugar onde cresci, e o que me influenciou a gostar tanto de cozinhar. Se você ainda não é fã do canal, clica aqui ó, e não esquece do sininho pra receber todas as notificações! Beijo da Sara!"

Sara parou a gravação, agora era só editar. As malas estavam arrumadas, ia deixar o vídeo upando a noite inteira e de manhã estaria voltando pro Brasil. Dois anos já, faltava só um pra se formar na Le Cordon Bleu. Dois anos desde que Sara descera no aeroporto de Paris, com uma bolsa de estudos, um francês pífio (e a culpa não foi da professora Mônica, ela se esforçou) e a vontade de ser uma grande chef, ganhar muita grana e tirar sua avó do Engenho Pequeno.

Não era um bairro tão ruim. Sara estudou na Luiza Honório, uma escola do Estado que ficava perto do ponto final, e lembrava de ir andando tranquilamente até em casa. Mesmo com a chegada do tráfico, os moradores não se incomodavam tanto — afinal, os bandidos eram todos crias da comunidade. Era o filho de Dona Arminda, o neto de Seu Carlos, o irmão mais novo problemático do Marquinhos, todo mundo se conhecia.

E aí chegou a milícia. Aos poucos, tomando território, comércio, vidas; em poucos meses, estavam todos reféns do gás, das vans, do gatonet. Reclamar pra quem? Seu Fabrício, da loja de aviamentos, tinha ligado uma vez, do próprio telefone, para denunciar a instalação de cabos clandestinos de TV. Não deu vinte minutos e o telefone tocou, de dentro do próprio batalhão, chamando-o pelo nome. Os homens continuaram trepados no poste, e Seu Fabrício nunca mais apareceu. Dizem que foi morar em Itaboraí, a lojinha de aviamentos virou um ponto de venda de frango assado.

— Vó, que história é essa de terem invadido o terreiro?

Sara entrou no quarto acompanhada de Vinícius, que tinha ido buscá-la no aeroporto no carro do aplicativo. Dona Conceição se penteava, em frente ao grande espelho do quarto. Vestia uma camisa branca com brocados dourados e brincos combinando, grandes e brilhantes. Não podia estar feia para a chegada da neta.

— Dois anos sem ver a avó, e é assim que você pisa em nosso chão?

Avó e neta trocaram um abraço afetuoso, demorado, que fez brotarem lágrimas dos olhos das duas mulheres.

— Minha filha! — disse Dona Filhinha segurando o rosto de Sara. — Como você está magra! Não tem comida na França, não?

— Aff, vó. Todo o esforço que eu faço pra não engordar com aquele monte de comida gostosa, e você me vem com essa. Mas diz aí, que papo é esse de invasão?

— Ah, minha filha... Esse pessoal novo, né? Dizem que o chefão é cristão, agora você vê? Bandido cristão, era só o que me faltava.

— Mas e a polícia?

— Eu falei com ela. — Vinícius interpelou. — Mas ela diz que não adianta.

— Os tempos são outros, minha filha.

— Eu vou te tirar daqui, vó. Isso não é mais lugar pra gente não.

Dona Filhinha se afastou, com indignação.

— Como assim, menina? Esse aqui é o nosso lugar, é o lugar de toda essa gente que cresceu aqui. Não é lugar deles.

Dona Conceição foi para a cozinha, seguida por Sara e Vinícius. Colocou a água pra ferver na leiteira, montou o coador de pano e começou a agitar um café.

Sara a abraçou por trás.

— Minha avozinha, os tempos são outros. Eu vou alugar um apartamento no Rio quando voltar, aí você vem morar comigo.

— Duas coisas que eu odeio, minha filha, apartamento e Rio de Janeiro. Se eu pudesse, não atravessava essa ponte nunca mais.

— Mas, vó...

— Não tem mais nem menos. Você parece a sua mãe falando. Saiu daqui, tinha vergonha de ser gonçalense e macumbeira, deu no que deu, não foi? Pega o pó de café aí na geladeira pra sua avó, por favor.

Vinícius aproveitou a deixa e falou que ia fumar na varanda. Até gostava de uma fofoca, só que o papo ali era sério, de família, e pra tudo tem limite.

— Sara, querida... — Dona Conceição continuou. — Sabe há quanto tempo a gente está aqui? A primeira de nós veio pra trabalhar ainda na fazenda.

— Já sei, vó, na fazenda do velho João Caldeira, a senhora já me contou essa história.

Dona Conceição ignorou a malcriação.

— Foi no tempo da escravidão, isso tudo aqui era fazenda de cana. Essa casa era uma tapera, não podia construir alvenaria. E enquanto os homens construíam a igreja pros brancos comungarem aos domingos, nossa avó firmava aqui o terreiro para nossa Mãe aos sábados. Por que você acha que a capela lá é consagrada a Nossa Senhora da Conceição?

Sara nada falou, olhando apenas para a água que esquentava no fogão.

— Desde então, minha filha, nossa Mãe Oxum não nos desamparou. Mostrava o caminho certo, aliviava nossas dores, nossa fome. Nossos filhos cresciam e geravam frutos saudáveis. Assim, sempre houve uma Mãe Filhinha nesta terra para abençoar e ensinar o amor para o nosso povo.

— A água vai ferver, vó.

— Quando ferver, você me dá, ué.

— Você sabe que se a água ferver, ela cozinha o pó, né? É melhor tirar um pouco antes.

— Xê, e agora você vai me ensinar a fazer café, é? Foi isso que te ensinaram em Paris, a fazer um café melhor que sua avó?

As duas riram, e os olhares amoleceram. Era difícil brigar com Dona Conceição, mesmo quando o assunto era sério. Vinícius veio no cheiro do café coado, e os três se sentaram à mesa, canecas fumegantes nas mãos.

— Vó, se o chefe da milícia é evangélico, por que eles não implicam com a capela? Só com o nosso terreiro? — Sara perguntou.

— Porque sempre foi assim, minha filha. Pra esse povo, as únicas coisas que prestam do preto são o trabalho e o silêncio. Não é o orixá que eles odeiam, eles odeiam a nossa gente, a nossa cor.

— E como quebrar esse ciclo de ódio, minha avó?

— Com amor. O ódio só destrói, mas o amor tem mais pra construir.

— Putz, mas aquela moela é maravilhosa!

Sara e Vinícius tinham ido comer uma moela à milanesa na Casa Porto, no centro do Rio, e agora tomavam a saideira em um bar na entrada do Engenho Pequeno.

— E não tem moela na França, não?

— Tem sim, chama-se *gésier*, mas eles fazem ensopada, como nós. Ainda falam que é à portuguesa. À milanesa eu nunca tinha comido! Vou fazer até um vídeo para o meu canal.

— Legal isso, você ter um canal de comida.

— Ah, sempre gostei dessa coisa de comunicação. E de cozinhar! Com o canal eu consigo fazer as duas coisas. Mas me conta, como é que o Engenho ficou assim? A ponto de destruírem o terreiro de minha avó?

Vinícius virou seu copo, e pediu mais uma cerveja.

— Lembra do Kayke?

— Aquele que foi pra Marinha?

— Isso... Mas saiu, um pouco depois que você e sua mãe se mudaram. Saiu e entrou pra polícia. Opa! Falando no diabo... — Vinícius fez um muxoxo.

— Sara? Saracura?

Sara se virou, e Kayke estava atrás dela. Ela se levantou e abraçou o rapaz.

— Não acredito que depois de tanto tempo sem me ver você me mete esse apelido!

— Nossa! Você tá... Tá linda! — Kayke estava impressionado.

Não era pra menos. Sara, a menina magrinha que brincava na rua (daí o apelido), agora estava ali, alta, linda, com cabelos encaracolados que desciam pelos ombros nus. Ela vestia um top e um saião, deixando a barriga de fora.

Kayke se sentou, e não demorou pra Vinícius perceber que estava sobrando. Papo vai, papo vem, a noite se esticou e já era quase de manhã quando Sara saiu da cama para ir ao banheiro, e olhou o telefone com a mensagem de Vinícius: "Miga, sai fora desse boy. Ele é da milícia que destruiu o terreiro da sua avó".

Sara se vestiu chorando, e saía pela porta do motel Hobby andando quando foi interpelada por Kayke, vestindo apenas a calça jeans.

— Sara! Peraí!

Ela se virou, com a voz embargada.

— Deixa o terreiro da minha avó em paz, Kayke!

— Sara, eu respeito muito a Mãe Filhinha, não quero...

— Respeita é o caralho! Se respeita, por que destruiu o terreiro?

— Você sabe que eu não queria isso. Eu cresci ali com vocês, porra!

Sara se virou e olhou na cara dele.

— Não queria, mas fez.

— Não fui eu que fiz, mas você sabe que a firma...

— Vai você e a firma então pra puta que pariu! — Sara se virou e tentou sair, mas Kayke a pegou pelo braço, com força.

— Olha aqui, garota.

Quando Sara virou, Kayke viu seus olhos faiscarem, e seus pés se elevarem gentilmente do chão. Sua saia ia lentamente se fundindo com o top, em um brocado dourado, coisas como cobras de ouro se enroscavam em seus braços, formando pulseiras. Seus cabelos ganharam volume, e uma coroa se formou na sua testa, fazendo cair sobre sua face pequenas linhas de conta, de onde por detrás só se via o brilho dos olhos. E o sorriso.

Kayke só percebeu as lágrimas nos olhos quando piscou, e viu a mesma Sara novamente à sua frente. Ela puxou o braço com força.

— Me larga, porra! Some da minha vida e da vida da minha avó!

— Sara...

— Sara é o cacete! Esquece que eu existo!

Ela se virou e foi embora, caminhando pela beirada da estrada, na luz baça do iminente amanhecer.

Dois dias depois, os gritos embriagados em frente ao terreiro acordavam a vizinhança.

— Sara! Saaaara!

Kayke estava de calça jeans, descalço e sem camisa, encostado no carro. Não dava a mínima que todos vissem a pistola, brotando do cós da calça em suas costas.

— Sara! Eu preciso... preciso falar com você!

Dona Filhinha abriu o portão com alguma dificuldade, àquela hora da noite.

— A Sara. Eu preciso falar com a Sara. Ela não atende o telefone, não responde as mensagens.

Ela foi até Kayke e o envolveu com os braços, não se incomodando com o catuco da pistola em seu braço.

— Ah, meu filho... Entra aqui, vai. Você não está bem não, entra aqui que eu vou passar um café pra você.

— A Sara, dona Filhinha... — o rapaz se deixou abraçar, entrou cambaleando, apoiado pela senhora idosa, que tinha a metade de seu tamanho e de seu peso.

Ao entrarem, Kayke tirou a pistola e a colocou em cima da mesa. Dona Conceição colocou a água pra ferver, e pegou um copo de água na geladeira.

— Toma, meu filho. Você está precisando.

Kayke bebeu a água e começou a chorar.

— Dona Filhinha, eu estou precisando é falar com a Sara. Não consigo mais pensar em outra coisa, não consigo comer, não consigo dormir...

Dona Conceição sorriu e alisou o ombro de Kayke.

— Meu filho... Você sempre foi um bom menino. Lembro de você pequeno, aqui no terreiro, sempre com medo de tudo. Medo do escuro, medo das entidades... E eu abria os braços, e você vinha correndo para receber o abraço de Mãe Filhinha. Lembra disso?

Kayke assentiu com a cabeça e voltou a chorar.

— A Sara fez alguma coisa com minha cabeça, dona Filhinha. Eu preciso falar com ela, preciso falar que esse amor...

— A Sara não está, filho. Voltou antes para a França.

Kayke se levantou com violência, derrubando a cadeira. Dona Conceição não se assustou, apenas se afastou um pouco pra trás.

— Como assim? Ela não podia... Você está escondendo ela!

— Não, meu filho, não estou — Dona Conceição falava baixo.

— É trabalho isso! Vocês me enfeitiçaram! Você vai ter que sair daqui, velha, não adianta! Não tem lugar mais pra macumba aqui no Engenho Pequeno não!

— Você lembra do que eu te dizia quando te abraçava? Que você não podia deixar se guiar pelo medo? O medo é um mau professor, só ensina coisa ruim. Só o amor pode ensinar coisa boa.

Kayke parou por um momento e abaixou a cabeça, seus ombros relaxaram. Seu corpo cambaleou e, quando se apoiou na mesa pra não cair, daí esbarrou na pistola, e seu semblante mudou novamente.

Pegou a arma e apontou para o rosto de Dona Conceição.

— Olha aqui, velha, eu preciso falar com a Sara e preciso falar com a Sara agora! E não adianta tentar usar seu poder comigo não!

Dona Conceição apenas sorriu.

— Eu não tenho poder nenhum, filho. Quem tem o poder é o orixá, e esse poder agora não se manifesta mais em mim. Já foi passada a herança.

Kayke se lembrou da noite em que viu Sara flutuar a meio metro do chão e virar uma outra coisa: algo mais belo, mais forte, menos humano e mais humano ao mesmo tempo. Como se fosse o próprio amor.

Daí lembrou do medo que ele sentiu. Travou as mandíbulas a ponto de seus dentes trincarem, e o dedo no gatilho endureceu.

Dona Conceição se levantou e postou as duas mãos em seus ombros.

— Meu filho, guarda essa arma. Você não é isso aí. Vou passar um café forte, daí você toma e vai pra casa.

Tomaram o café em silêncio. Quando terminaram, Dona Conceição levou o rapaz até a porta, a arma novamente pendurada no cós da calça. No portão, ele se virou para ela, envergonhado.

— Dona Filhinha, eu...

— Xê, menino. Não precisa. Você não está bem, Mãe Filhinha entende.

— É que a senhora falou que o amor... O amor ensina, o amor cura. Por que então estou doente?

Dona Conceição sorriu.

— Meu filho, amor não é band-aid não, é Merthiolate. Arde, mas cura.

— E se não curar?

— Bom, nem toda doença tem cura. Algumas... Deixa pra lá. Vai pra casa, vai. A hora que você precisar conversar, pode vir aqui. Mãe Filhinha vai estar te esperando.

Então abraçou Kayke pela última vez, com força. Ele entrou no carro e partiu, costurando pela rua escura.

EUÁ

Euá (ou Yewá) é a deidade feminina do rio de mesmo nome que corre entre o sudoeste da Nigéria (território nagô) e o sudeste do Benin (área jeje). Entre seus diversos atributos estão a castidade, a beleza refinada, o apreço pelas artes em geral, o sentido da visão e a clarividência. É uma das divindades tutelares dos jogos divinatórios.
Pelo lado jeje, é considerada filha de Nanã e irmã de Omolu. É também representada pela cobra fêmea, considerando-se a contraparte de seu irmão Oxumarê, ligado à cobra macho.
Do lado nagô, aproxima-se de Iansã e de Obá, e mesmo de Oxum e Iemanjá.
Caçadora, é também relacionada a Oxóssi. Cultua-se especialmente Euá durante a aurora e o ocaso, quando o céu adquire tom rosado. Seus ilekês, os colares rituais, são feitos de contas amarelas rajadas de grená.

A verdadeira face de Elena

Geovani Martins

Com os olhos fixos no portão principal da escola, Elena recorda o primeiro dia em que entrou naquele prédio. Estava assustada. Havia começado a trabalhar logo assim que terminou o ginasial e, por mais que sentisse falta dos tempos de escola, não esperava voltar nunca mais à sala de aula. Dona Benedita, sua mãe, havia conseguido a vaga com sua comadre, Tereza, recém-contratada como professora do Curso Normal. Benedita já fazia tempo vinha de olho nas mudanças no corpo da filha; conhecia muito bem os perigos de trabalhar em casa de família e temia sinceramente que, de repente, Elena aparecesse grávida em casa. Essa foi sua principal motivação para metê-la de volta na escola, embora tenha dito à filha que tudo havia começado num sonho, numa noite em que dormindo viu a Elena se formar professora no Estado do Rio de Janeiro. Elena conseguiu vislumbrar como ninguém aquele sonho inexistente. A partir de então, passou a se preparar para o momento.

Eram enormes suas expectativas para o primeiro dia de aula. Logo depois da conversa com a mãe, Elena saiu espalhando a novidade na vizinhança. Era a única menina de todo o cortiço que continuaria estudando, o que gerou ciúmes entre as outras meninas da mesma idade. Disseram que ela se sentia melhor do que as demais, porque podia ir pra escola em vez de trabalhar. Elena começou a acreditar que, de fato, talvez fosse mesmo de alguma forma melhor que todas elas.

Sem dúvidas, isso tornou o choque do primeiro dia muito maior. Elena não sabia onde enfiar a cara quando percebeu o uniforme das outras meninas em comparação ao seu. Todas elas, sem exceção, ostentavam saias e blusas novas, perfeitamente adequadas ao tamanho de seus corpos. Enquanto ela usava o uniforme herdado de Tereza, dos seus tempos de escola. Além de já bem surradas as roupas, Tereza era muito maior do que Elena com a mesma idade, o que obrigou Benedita a improvisar alguns reparos.

Tentou fazer o mínimo de movimentos possíveis pra não ser notada. Não adiantou, pois naturalmente virou chacota daquela nova turma que se reunia. Ninguém entre as outras alunas se conhecia ainda, era preciso a criação de um elo. O asco por Elena cumpriu essa função.

Voltou do recreio decidida a arriscar outra tática. Se ficar invisível tinha falhado, o jeito era se fazer notada. Já tinha identificado a menina que se inclinava à posição de líder do grupo. Ficaria de olho nela. Se na hora da saída tentassem mais alguma gracinha como aquela no recreio, quando quase conseguiram grudar um chiclete em seu cabelo, ela simplesmente voaria no pescoço dessa tal Joana, que já no primeiro dia parecia mandar e desmandar nas outras meninas. Bateria com a cabeça da rival numa parede próxima e, se tivesse oportunidade, esfregaria aquela cara branca no chapisco. Seria respeitada.

Elena mal conhecia Tereza, sua madrinha e agora professora. Tiveram contato umas poucas vezes na infância pra depois nunca mais. Benedita tampouco falava da comadre. De modo que, apesar da ligação religiosa, não havia relação alguma entre elas. Em todo caso, antes de colocar seu plano em prática, Elena achou que valia a pena conversar com Tereza. No final da aula, pediu pra falar a sós com a professora e contou sobre tudo o que tinha acontecido naquele primeiro dia de aula, inclusive o episódio do chiclete. Tereza ouvia impaciente as queixas da afilhada. Terminada a reclamação, Tereza disse que as meninas dessa idade são assim mesmo, que o primeiro dia de aula deixa todo mundo excitado e que logo tudo vai pro seu lugar. Por fim, frisou que não podia tomar partido de Elena em relação às outras alunas, se não logo apareceria alguém acusando-a de estar protegendo a afilhada. Tereza deixou bem claro que, se caso Elena fizesse alguma merda na escola, seria ela própria a primeira a cobrar uma punição.

Quando Elena saiu da escola, quase todas as meninas já haviam ido embora, com exceção de uma delas. Era uma menina discreta que não havia dito uma só palavra durante todo o dia. Com certeza, havia decidido também usar a estratégia de não chamar atenção para si. Elena se apresentou e não demorou pra descobrir que a menina se chamava Rosa e era terrivelmente vesga. No início foi bem ruim de encarar Rosa frente a frente; aqueles olhos cada um apontando pra um lado distinto. Elena não sabia se devia encarar, se fingia que achava normal, se olhava pro chão. Aos poucos, foi passando a agonia. Rosa esperava pelo irmão, que estudava perto dali e era encarregado de levá-la pra casa. Elena foi ficando pra fazer companhia, e logo veio à tona a primeira afinidade entre elas: a paixão pelas cantoras do rádio. Começaram então a falar sobre Carmen Miranda, Linda Batista, Aracy de Almeida. Quando o irmão de Rosa finalmente chegou pra levá-la pra casa, se despediram com pesar, a vontade era de continuar aquela conversa tarde adentro.

Já fazia mais de uma década que dona Benedita criava pombos e rolinhas dentro de casa. Tinha uma clientela fiel, o que lhe dava alguma estabilidade apesar do pouco lucro. Mesmo assim, não passava um dia sequer de sua vida sem sonhar com o momento em que não precisaria mais dividir a casa com aquelas aves, que, além das montanhas de merda produzidas diariamente, não davam um segundo de sossego, grunhindo sem parar. Com a filha frequentando a escola, Benedita começou a sonhar. Podia muito bem, depois de formada, arrumar um bom casamento. Um comerciante, talvez. Iria morar num subúrbio com o marido, e depois de alguns anos mandava buscar ela própria, pra ajudar a cuidar das crianças. Elena é moça bonita, inteligente. Com um diploma debaixo do braço, quem pode lhe dizer o que reserva o futuro?

Quando percebeu a empolgação da mãe com seu primeiro dia, Elena perdeu a coragem de contar como havia se sentido na escola nova. Estava decidida a exigir uma roupa nova para que pudesse frequentar com dignidade o ambiente. Não disse nada. Também não conseguiu contar da confusão com as outras meninas, a conversa com a madrinha, nada. A excitação de Benedita neutralizava a menina. Não se lembrava de ver a mãe tão animada já havia muitos anos.

Depois de uma semana fazendo companhia à Rosa todos os dias depois da aula, a menina vesga chegou com um uniforme e deu de presente à Elena. Ela contou que pertencia à sua irmã mais velha, que era muito cuidadosa e por isso todas suas roupas permaneciam sempre novas. No que Elena fingiu acreditar, pois estava na cara que aquelas roupas nunca haviam sido usadas. Aceitou com dignidade o presente. Àquela altura já eram melhores amigas. Rosa também pretendia ser professora e, além da música, as duas conversavam muito sobre o futuro em sala de aula, sobre a importância do magistério numa nação em desenvolvimento. Sonhavam que um dia as duas iriam lecionar na mesma escola.

Elena se sentia muito melhor com o novo uniforme, mas a mudança não ajudou em nada sua relação com as outras meninas, muito pelo contrário. Depois de vestir uma roupa com o tamanho exato de seu corpo, revelou uma beleza até então escondida pelo antigo uniforme. Com isso, quem já não gostava dela, passou a gostar menos ainda. As provocações foram deixando de ser apenas verbais, e passaram para o corpo. Um pé que aparece bem na hora da passagem, um tapa no pescoço enquanto todos descem a escada. Elena sabia que só depois de revidar à altura seria deixada em paz, mas as conversas com sua mãe a impediam que tomasse qualquer atitude. Sabia muito bem que se alguém tivesse que ser expulsa da escola, seria ela. Só havia um jeito possível de ser deixada em paz: fazer parte do grupo.

No final do primeiro semestre, já havia conquistado todas as professoras, menos Tereza. O esforço de Elena em todas as aulas, na verdade, parecia irritá-la de alguma forma. Era como se a afilhada, estando ali de favor, não tivesse o direito a ser melhor do que as outras alunas. Elena percebeu o movimento e propositalmente foi se deixando ficar pra trás na matéria, tirando notas mais baixas, entregando trabalhos mais simples. O que, no fim das contas, rendeu uma série de castigos e repreendas por parte de Tereza, que gritava ser um absurdo a menina desperdiçar desse jeito a chance que tinha recebido.

O lança-perfume era uma grande sensação na cidade. Para além do que apenas no carnaval, as pessoas começaram a cheirar a droga em diversas ocasiões; nos bailes, reuniões em casa, saraus de poesia e, claro, nos recreios das escolas. Elena ficou de olho no grupo de Joana puxando lança num canto do pátio. Ela nem sabia o que era na verdade, mas já simpatizava com o vidrinho; pelo menos pareciam ter esquecido um pouco de sua existência. O vidro ia girando e cada uma ficava com a cara mais engraçada que a outra, até que uma gargalhada explodiu no meio do grupo, o que levou a outras e um barulho estrondoso de uma risada desesperada tomou conta da escola, chamando atenção de todos, inclusive da diretora, dona Lígia. A diretora caminhava até o grupo que continuava rindo sem perceber nada. Na mesma hora, Elena correu, desesperada, alcançando dona Lígia. Ela então inventou uma ratazana no banheiro, obrigando a diretora a mudar o rumo. Daquele dia em diante, passou a ficar de olho para as meninas nas tardes de lança-perfume, e também passou a fazer alguns outros pequenos favores.

Elena sabia que, com sua nova relação com o grupo de Joana, alguém da turma seria escolhida pra ocupar sua antiga posição. E pior é que tinha a certeza de que essa pessoa seria Rosa. Tanto que passou dias inteiros imaginando como falaria e o que faria pra defender a amiga quando fosse preciso. No entanto, quando de fato aconteceu, Elena não fez nada. Não ajudou a rebater nenhum xingamento, e quando as meninas seguraram Rosa na escada e Joana ficou mandando que ela olhasse nos olhos dela, e todas começaram a rir da incapacidade daquele gesto, passou direto como se não tivesse visto nada. Nunca mais conversaram sobre as cantoras da rádio na saída das aulas.

Com a função de acobertar o grupo que antes a perseguia, Elena ganhou finalmente uma boa moeda de troca com Tereza. Passou a ser os olhos da madrinha na escola, contando tudo o que ouvia das meninas nos intervalos entre as aulas. Elena conseguiu. Entendeu e dominou aquele ambiente tão hostil desde o primeiro dia. Sabia as palavras certas pra tratar com todas ali. Era querida pelas funcionárias da faxina e da cozinha. Tinha o respeito da diretora da escola. Só mesmo Rosa não lhe dirigia mais palavra nem olhar.

O que dava raiva em Elena com relação à Rosa era a menina não ter tido nenhuma reação. Ela podia muito bem ter levantado a questão do uniforme, jogado isso bem no meio da sua cara, podia ter cobrado por uma atitude de Elena, mas não. Ela continuou fazendo suas coisas, sentando no mesmo lugar e esperando por aquele irmão eternamente atrasado.

Dona Benedita foi com a filha até a escola ver a lista de aprovação. Os olhos se encheram d'água quando viu o nome de Elena escrito no papel pregado na parede. Sua filha iria cursar o segundo ano. Elena não olhou pra nenhuma das suas colegas de classe. Apenas quando viu Rosa chegar, levantou a cabeça, tomou coragem e foi até ela. Foi uma conversa estranha, uma não parecia ouvir a outra e, por um momento, chegou a dar a entender que começariam ali uma discussão. No fim, marcaram de se encontrar novamente dali a uns dias.

Rosa chegou um pouco atrasada, muito nervosa e desajeitada. Elena mirava a construção, recebendo as primeiras gotas da chuva, que apertava com velocidade. Não precisaram acertar mais nada, já estava decidido. Com a ajuda uma da outra pularam o muro e encontraram a escola vazia. O quanto aquelas paredes e quadros e carteiras e palmatórias eram responsáveis pelo que acontecia ali dentro? Queriam ver tudo queimar.

Rosa espalhou querosene. O mundo lá fora desabava em água. Todos os fósforos se recusavam a acender. Estavam úmidos. Pela primeira vez Rosa sentiu medo pelo que faziam. Era como se a impossibilidade de riscar um simples fósforo tivesse trazido para ela a gravidade do que estavam se metendo. Então será assim, interrompeu Elena, de repente.

"A água lava tudo, menos a língua", lembrou em voz alta o ditado da mãe, e nem fez questão de explicar nada, saiu correndo pela escola abrindo todas as torneiras, chuveiros, tudo. Rosa foi ajudar. Em pouco tempo a água subia pela construção, fundindo-se àquela que caía do céu. As duas amigas fugiram correndo, sorrindo, e nem mesmo os trovões daquela tarde eram capazes de alterar a alegria que sentiam. No meio do caminho, se abraçaram forte, deixando a chuva cair. E não precisavam dizer mais nada; se compreendiam no silêncio.

IANSÃ

Iansã (ou Oiá) é a deusa nagô dos ventos, dos raios e das tempestades. É a patrona do Níger, imenso rio africano que atravessa cinco países e que, em terras iorubás, ganha o nome de rio Oiá. Iansã (abreviação do epíteto "iá messan orum", "a mãe dos nove céus") é uma das esposas do orixá-rei Xangô e com ele compartilha o poder de cuspir fogo. Em certos mitos, relaciona-se com outros orixás masculinos, como Ogum, Oxóssi e Logunedé. Impetuosa e ardente, confunde-se ao mesmo tempo com o búfalo selvagem e a delicada borboleta. Representa as mulheres de temperamento aguerrido e independente. Sempre destemida, é Iansã quem conduz os espíritos dos mortos ao Orum. Entre suas cores prediletas estão o marrom, o vermelho, o grená, o rosa e o coral. Alguns tipos de Iansã vestem-se apenas de branco.

Nas asas de borboletas de papel

Eliana Alves Cruz

Foi debaixo daquelas nuvens densas como pedra; foi respirando o ar opresso do chumbo e tropeçando nas lanças de raios riscando o céu; foi ventando pelos becos, vielas, pardieiros, barracos, lajes, alvenarias, escadarias, ladeiras, pirambeiras, biroscas; foi olhando para o fundo da imensa pedreira no costão que descia do alto do morro... Foi ali, naquele lugar-tempestade, que Bárbara o conduziu para o mundo dos mortos.

Não sabia ela, afinal, de quem herdara esta tarefa de levar as almas para o outro lado do véu. Só sabia que era sempre chamada para percorrer os dois caminhos, dividindo o espaço com meninos ligeiros e suas pipas, com os quais cruzava todos os dias, rindo e gritando: "Cuidado, garoto! Olha pra frente que não tem médico no posto!". O posto médico da favela não dava conta de nada. O mais prudente era não tropeçar, mas ela mesma por pouco não caía admirando o bailado das pipas coloridas em contraste com o céu sem nuvens.

— Borboletas de papel — pensava.

Apesar da função dura que foi naturalmente assumindo na comunidade por amor às suas e aos seus, ela não deixava nem de longe a tristeza se instalar em si mesma ou nos corações ao redor. Bárbara gostava de dizer gargalhando aquela sua risada: "Eu faço trovoada fora para não explodir por dentro". E lá ia ela, guerreando suas batalhas de todas as horas.

Naquele dia não pensava em nada que pudesse estragar a festa. Nem passava por sua cabeça descalçar suas sandálias vermelhas altas e sair voando, ventando por aquelas trilhas para, como de costume, encarar outra tragédia em família. Estava apenas em um raro momento de total descontração, embalando-se na música e no corpo de Leandro, seu homem tão justo, tão imponente... seu rei! Quando dançava com ele, a roda se abria. Eram a realeza, não havia quem não notasse, e apenas queria girar seu lindo vestido novo e se mover com aquela graça peculiar e atrevida, despertando os desejos que sabia que despertava, celebrando sua liberdade e rindo seu sorriso largo e imaculado.

Há quem pense que seu lugar-chão seja apenas local de feias feridas abertas. Para estes, Bárbara não tinha tempo, somente pena por não conseguirem girar nesta roda de existência em estado bruto que prescinde de tantas coisas não porque não sejam necessárias, mas porque quem as vive experimenta com ardor as máximas e mínimas alegrias. Eram estas felicidades superlativas em seus mínimos detalhes o combustível para que pudesse assumir seu trabalho plenamente, auxiliando não apenas quem partia, mas principalmente quem ficava a suportar as amarguras da separação.

Bárbara não pensava em nada, mas foi com a resignação de quem tinha uma tarefa a cumprir que, assim que a notícia saltou de boca em boca e de ouvido em ouvido, no meio do baile sentiu pela primeira vez o trovejar não fora, mas dentro de si. Curvando o corpo para rapidamente descalçá-las, ela jogou para o alto as sandálias presenteadas por Leandro e correu como nunca. Aonde ia passando deixava um rastro de folhas reviradas, de saias levantadas, de areia nos olhos, de telhas desfolhadas.

Quando ela encontrou os chinelos de borracha, o céu gritou seu grito grave acompanhado de um clarão metálico. Um pé bem longe do outro no chão barrento, compondo o cenário com um esgoto a céu aberto. Parou, arfante, percorrendo apenas com os olhos aquelas pistas esparramadas. O suor a lhe empapar o vestido rodado. Conhecia aquelas chinelas gastas e empoeiradas que estavam ladeando um filete vermelho no chão, misturando-se com a terra e ganhando um tom marrom escuro, desembocando numa poça maior de sangue-lama, que terminava em um plástico preto volumoso e embaixo do plástico...

Poderia ser o Cacá, o Marquinhos, o Luiz, o Tadeu, o Zé Antônio; poderia ser o filho, o neto, o bisneto, o amigo, o namorado, o marido; poderia ser a lágrima da Luíza, a depressão mortal da Fátima, o berro da Alzira ou o mutismo da Alessandra; poderia também ser escopeta, trezoitão, furadeira, guarda-chuva, bisnaga de pão, secador de cabelos, vassoura piaçava, fuzil AR15. Era um plástico preto com um corpo embaixo tão preto quanto o plástico. Quando ouvia um choro e um vozerio na sua porta, ela já sabia. Não fazia diferença para ninguém além deles e delas.

— Babi! Pelo amor de Deus, pelo amooor de Nossa Senhora de Aparecida, não tenho força, mulher! Vai lá... Se for ele, num vou aguentar... num vou aguentar!

— Ele queria ser advogado, entende?

— Era o primeiro emprego dele! Era uma festa, com os amigos, o primeiro salário...

— A culpa é minha, Babi! Fui trabalhar e ele ficou aqui pra se juntar com o que não presta...

— Foi a falta de igreja, a falta de Deus!

Ele era um bom neto, um bom homem, um bom policial...

— Ele estava instalando a prateleira do quarto da minha netinha que vai nascer...

Era a vizinha, a colega do tempo de escola, a mãe do amigo, a companheira de todos os dias no transporte público, a dona da birosca, a faxineira da madame esposa do bacana, a babá que criou o bacana... e lá ia ela, a "barraqueira" que todo mundo dizia que comprava as brigas da comunidade inteira, olhar para o que ninguém queria e tratar de terminar a jornada de tantos, reconduzindo para o seio da terra os que dela um dia saíram, mas... e no dia em que o pranto e a tormenta fossem dela? Na porta de quem bateria? Quem seria a fortaleza que percorreria encruzilhadas de chão de terra, de pedra e de asfalto? Que braços seriam as redes que a conteriam da queda inevitável no abismo do desespero?

O coração batia compassado com a trovoada até que as nuvens finalmente desabaram limpando o ar e lavando o solo profanado. A terra, dizia sua avó, pertencia a um rei e ninguém a adubaria com sacrifícios jamais solicitados sem que ela desabasse sobre a própria cabeça. Bárbara nunca quis acreditar na velha antepassada, mas agora tudo lhe vinha à memória como avalanche provocada pelo aguaceiro. Misturando-se à tempestade, estava ela ajoelhada na lama, olhando aquele rosto frio e inerte de mirada esbugalhada para o alto, para as luzes saídas dos raros postes e das janelas tortas cravadas em paredes tortas de madeira velha e tijolos aparentes. Não sabia onde colocar tanta aflição.

Apertava seu rosto ainda sem pelos, alisava seus braços moles e segurava suas mãos de dedos longos. Voltou no tempo, ao dia em que ele nasceu. Estava descobrindo naquela hora que o momento do nascimento é muito semelhante ao da morte. O instante em que as criaturas exibem exatamente o mesmo olhar de quem está prestes a desvendar um mistério. Pôs a cabeça do jovem em seu regaço, aninhou-o no peito como da primeira vez quando ele, faminto, procurou seu seio para extrair o leite. Ela balançava seu corpo para frente e para trás, cantarolando baixo uma música para acalmá-lo, embalando o rebento que um dia ele fora.

Repeliu braços que tentavam afastá-la dele. Sentiu uma dor funda que lhe transpassou a alma: uma revolta. Teve vontade de invocar seu exército dos que já estavam no outro plano, a ira dos muitos como seu filho que agora cerrava fileiras em batalhões de estatísticas, pois no tempo gasto entre a corrida na saída da festa até aquele momento em que estava de frente para a dura verdade, quase uma hora se passara e — dizia Leandro quando estava furioso com as injustiças deste mundo — de hora em hora dois jovens pretos são eliminados e uma arma é apontada para um terceiro.

Tentou ao máximo pacificar seu espírito ou não conseguiria completar sua missão e o menino precisava partir. Com a ponta dos dedos fechou seus olhos e, embora dilacerada, não chorou por fora. Apenas por dentro. Como líder comunitária tomou as providências para que alguma dignidade existisse na despedida, mas como mãe tratou de levar seu filho para o outro reino com a autoridade de quem tem o poder de transitar entre eles, entrando no "Bosque sagrado dos ancestrais".

Quando tudo terminou, o povo se admirou de sua força. No entanto — Bárbara sabia —, não era força: era certeza de que ninguém termina, apenas retorna. E isso se daria com ou sem a sua presença, porém, se ela estivesse nesta passagem, a viagem se daria como o voo das borboletas, os insetos que a simbolizam.

Seria como partir dormindo nas asas das pipas-borboletas de papel iguais às dos meninos no alto das lajes, mas que em algum momento tiveram seus fios condutores cortados, para ganhar para sempre o firmamento.

LOGUN-EDÉ

Orixá caçador, pescador e guerreiro, Logun-edé é originário e patrono da cidade nigeriana de Edé, cortada pelo rio Oxum e onde também nasce o rio Erinlé, seu afluente. No Brasil, o rio Erinlé é tido como morada de um dos tipos de Oxóssi. Assim, conta-se que Logun-edé é filho de Oxum com Oxóssi, fruto do encontro dos dois rios, tendo herdado a bravura e astúcia do pai, assim como a beleza, o bom gosto e o poder de sedução da mãe. Em algumas tradições do candomblé, entretanto, diz-se que o jovem caçador é na verdade filho de Ogum com Oxum, ou então de Xangô, tendo sido criado por Oxóssi. Em certos mitos, Logun-edé exibe ligação estreita com Iansã. Também aparece relacionado à caçadora Euá. Suas cores são o amarelo ou dourado, de Oxum, combinados ao azul-turquesa, de Oxóssi.

Caçar, pescar

Marcelino Freire

Se deu que ele sumiu da família, ainda pelos quinze, se largou no mato, pela correnteza, só tenho dele essa fotografia. Tu agora jornalista, filho, e com as facilidades do computador, pode sim demais encontrar, achar. O mundo não é tão grande nos dias de hoje. Fuça ali, já achou.

Teu tio Expedito.

Porque de vez em vez ele se vestia de vestido, um batom aqui, outro no bolso, levava uns esmaltes de cor. E lá vinha, agarrado em preá, em pescado vivo, pulando. Era um bom caçador, mas a gente dizia que não precisava maquiagem para desentocar tatu. Para fisgar piauçu. Nosso pai detestava essas frescuras. Não era de bater, mas sangrava os olhos, pedia a Deus uma cura. Filho. O que eu tenho é um filho. Aquelas bolas, enfiou onde?

Teu tio.

Aqui, na fotinha, é a gente tudo reunido no banho de rio. Preste atenção no brilho dessa pessoa. Sentiu? Ele pôs até uma flor no umbigo. E veja como derreou as asas, fez bico, parecido um peixe de dourada escama, vistoso. A gente avistava logo de longe a imagem, a criatura. Não sei. Por mim nunca foi um problema, mas a cidade é uma bruta doença, gosta de fofocagem, um disse-me-disse. Espalharam que tinha sido uma coisa de espírito que ele pegou, alguma cigana possuída.

Expedito da Silva.

Agora deve estar com uns cinquenta anos, nem sei se ainda vive nesse mundo, uma vez ainda deram notícia, estava pelas águas da Bahia, mas a Bahia é tão imensa, pensa, nada que assuste a tecnologia. Bota aí o nome dele, a data de nascimento e tenho fé, me bateu uma saudade do meu irmão caçulinha, pois é. Uma quase culpa. Teu pai morreu chorando o nome dele. Porque era, de fato, um menino valente. Bom de trabalhar. Nosso pai tentou aprumar. Pau que nasce daquele jeito cresce uma árvore do mesmo jeito no lugar. Um rapazinho bonito.

José Expedito.

Depois veio a história do Tião, o vizinho, foram os dois se banhar. Afunda daqui, afunda de acolá, agarraram-se ali mesmo, em um redemoinho inexplicável. Alguém viu e só aumentou o assunto. O filho de Seu Jorge pelado, lambuzado pelo miserável Tião, como se fosse mel, ou tivesse o menino um corpo de melaço. Cristo. Tião era mais velho, tinha até mulher, não precisava disso. Diziam que Expedito enfeitiçava. Eu mesmo comecei a ter um certo ciúme. Logo eu. Eu que ajudei a criar. Coisa de insegurança. Uns namorados feios que eu tinha. O teu pai, filho, só chegou depois quando Expedito já tinha desembocado em outros cantos, uns anos. Eu amo Expedito, nossa como até hoje eu amo meu Expedito.

José Expedito da Silva Santos.

Não tenho documento como garantia. Vou juntando a informação que vem. Era o mais novinho, era. A gente não tinha nada, nadinha. A cidade em que a gente vivia era uma tapera. Papelada só a muitos quilômetros. Pegar identidade, carimbo de nascimento, só muito distante. Agora batismo era coisa fácil. Eu me lembro. Um menino já especial, não sei. Uma criança que não havia igualzinha. Dentro da bacia, na igreja, estava que pensava ser um riacho de lodo a água benta. Gostava de banho. Só não gostava de templo santo. Dessas coisas de beata que tentaram passar para ele. Por isso a fofoca aumentou. Ele era um menino malfeitor, dos cursos contrários do Senhor.

Zé. Eu não dizia nada, só pedia para ele tomar cuidado, alguém vinha e ameaçava. Ele saía de casa, pisava no batente, começava a ser xingado por um, por outro, um assobio, um fiu-fiu da gota. Ele nem aí. Balançava, balançava. Mas também virava macho. De peixeira, ia para cima. Um rapaz, morador da casa circunvizinha, correu do enfrentamento. Teu tio era um jumento. Quando queria, um cangaceiro sangrento. Tirou dente de muita gente. Quando era assim, nosso pai pensava que ia consertar. Coisa da idade. Um equívoco divino, que Deus se enganou com os temperos, sei lá. A gente não faz isso quando está preparando um molho? Um prato de linguado? E tinha gente que assobiava, mas vivia se insinuando para Expedito na beirada funda do rio. Viu? Hipocrisia.

Zé da Silva.

Ah, se eu soubesse o que eu sei hoje. Sobre liberdade, liberdade. De que há tempos, entre nós, ele era sabedor. Eu compreendi muita coisa depois do computador. Se me deixar, olhe, eu fico navegando. Navegando e buscando por ele, meu amorzinho de sempre. Meu amor. Mas sem muita ciência superior. Tu, filho, é que sabe o canal onde procura. Pai: Jorge Expedito da Silva. Mãe: Conceição Aparecida. A mãe, morta quando ele tinha dois anos. Ontem mesmo sonhei com ela. Ornada de pétalas. E de saia amarela. Nossa mãe. Ele era a cara formosa de nossa mãe. O mesmo esplendor. Choro, eu choro. Imploro. Aonde será que ele se enroscou? Aonde foi parar? Necessidade, eu tenho certeza, acho que não passou. Era um menino destemido. Nem pegou trouxa, nem foi embora escondido. Deixou muito claro. Na cara de nosso pai, falou que ia seguir destino. Era um menino. E ficou tão gigante. Elevado. O cabelo descido, mais longo. Eu fui até a porta, me acabando de sofrer. Vi meu irmãozinho, menininho, na grota da esquina, desaparecer.

Nada, nada.

Meu amigo de redação me ajudou em uns arquivos, fez umas ligações para o lado de Belém, Santarém, Porto Velho. O nome de meu tio era um nome comum. O nome da cidade de nascimento era que não era. Cidadezinha de bosta.

Apareceu uma pista para o lado de Pirapora. Um homem casado, pai de três filhas. Fichado como ativista. Comunista. De uma associação defensora dos pescadores. Algo do tipo, creio.

Não deu certo.

Surgiu também um segundo, quase homônimo. Nessa confusão de nomes, está valendo averiguar. É um babalorixá. Minha mãe disse que era ele, o tio. Bateu o coração dela vendo uma imagem borrada, a única que havia, embaixo de chuva, em uma festa de terreiro. Danou-se a gritar. A tremer. Mais uma notícia falsa. Nada a ver.

Meu amigo um dia, entre uma cerveja e outra, com toda delicadeza, levantou uma questão. Há exemplos famosos de meninos que, chegando nas grandes cidades, sem oportunidade, têm que se prostituir. Mudam de certidão, trocam suas origens, nem querem saber do passado.

Teu tio.

Pode ser o caso dele. Nem comentei quando cheguei. Minha mãe, a toda hora, querendo saber o porquê da demora. Abraçava o computador e pedia por uma resposta. Deus quem fez esse instrumento de busca. Deus que deu inteligência às máquinas. Ele tinha algum nome, mãe, do qual ele gostava? Clara. Ele dizia que adorava o meu nome. Porque meu nome tinha gosto de água. Clara. Era como se tivesse havido uma troca. Na hora de cada um nascer. Expedito viu em mim alguma alma. Os batons, tudo meu. Anéis. Perfume. Até a nudez. Ele nu era eu. Nua. Não sei. Será, meu filho, que eu errei? Aticei, de alguma forma, o destino do coitado? Um sonho? Ele poderia ter casado. Guardado o facho. Muita gente faz assim até o fim da vida. Morre sufocando um segredo maligno. Falo isso, mas sei que isso não era ele. Ele era de opinião. Ele era macho na colocação feminina. Era uma mulher de um coração de fibra. Covarde, nunca. Seu tio, meu filho. Uma água de arrebentação.

Clarah Odara.

A idade a mesma. Descoberta a igual origem nordestina. No entanto, morta faz três anos. Espanto. Clarah se parece com o meu tio, na fotografia. Na imagem resgatada, ela está dentro de uma espuma de piscina, se banhando. Em uma água azul de cachoeira. Artificial. Os olhos fitando a câmera e o sorriso aberto de quem era alto astral. Meu tio, maior orgulho eu teria que Clarah fosse o meu tio. Na paz. Na alegria. Verdadeiramente feliz. Morou fora do país. Nas mãos, três anéis. Quem sabe um deles não batia com alguma herança? Carregou as joias da minha mãe.

Nem falei para ela da desconfiança. Nosso tio em Mar Del Plata. Levava, para onde se apresentava, o nome do Brasil. Nossas praias são tão claras. Nossos rios, nossas ilhas e matas.

Nada, mais uma vez nada.

Depois de muita pesquisa e paciência, não bateram as coincidências. Infelizmente, no fundo de mim, um vazio.

Minha mãe faleceu este ano.

Com ela, morreu o mistério de meu tio Expedito. Não que fosse impossível reencontrá-lo. Mas melhor que deixemos em paz a vida dos outros.

No baú de fotografias, organizando uns últimos documentos, encontro outra foto.

Agora de meu tio, sozinho.

Em frente ao rio.

Ar de caçador das águas.

Conhecedor das margens.

Atrás da foto, duas datas: *1967 / +1982.

E na letra ondeada de minha mãe: Saudades.

Como?

Quem morreu?

Por que ela não me mostrou essa foto, tão nítida? Só dele e mais ninguém com ele. O rio, o rio.

Meu amigo de redação mais uma vez resolveu me socorrer. Pesquisa daqui, de lá. Procura para valer em mil arquivos. Investiga mais profundamente na cidade de onde viemos. Aquela merda. E eureca.

Teu tio Expedito, José Edson Expedito dos Santos, seu verdadeiro nome, morreu afogado.

O quê?

Repetiu: afogado, foi o que você ouviu.

A mim, faltou oxigênio. Por que, ora, tanto tempo batendo na mesma tecla? Se meu tio estava morto, o que a minha falecida mãe queria? Ela não se deu por vencida. Tio Expedito era ou não era duas pessoas em uma? Encantado. Ela o deixou encantado, sem morrer, para sempre. Faz muitos anos. O corpo que encontraram não era o dele, ela jurava. O corpo dele saiu pelo rio afora. Foi embora da cidade. Foi ser feliz em qualquer outra parte do mundo.

Quem sabe você não encontra, filho, o seu tio por aí.

Não parei a busca, mãe, pode deixar.

Continuarei navegando.

IEMANJÁ

O nome Iemanjá, do iorubá "yeye omo eja", significa "mãe cujos filhos são peixes". É a senhora dos rios, na África, e das águas do mar, no Brasil. Iemanjá é tida como a mãe de todas as cabeças humanas — mais propriamente, segundo o pensamento nagô, da contraparte espiritual de nossas cabeças físicas que é denominada "ori", sede de nossa individualidade, equilíbrio, boa sorte e destino. De acordo com diversos mitos, Iemanjá é a mãe de orixás como Xangô, Oxum, Ogum e Exu, entre outros. Representada habitualmente como figura de ventre largo e seios fartos, é a esposa de Oxalá, orixá da criação. É a padroeira dos pescadores. Entre suas cores preferidas estão o azul-claro, o verde-claro e o branco. Usa contas de cristal transparente, às vezes entremeadas de verde-água ou azul-piscina.

*

Caderno de Mergulho

Juliana Leite

"Mar, misterioso mar
Que vem do horizonte
É o berço das sereias
Lendário e fascinante"[1]

Uma mulher está deitada no sofá. O ventilador ligado em rotativo aos seus pés é insuficiente para refrescar o corpo, especialmente se esse corpo acaba de terminar o expediente. E é este o caso. Iaiá chegou há pouco da mercearia onde trabalha. Assim que entra em casa, como faz todos os dias, ela liga o ventilador no máximo. A cabeça do aparelho gira para lá e para cá, assoprando de vez em quando a pele de Iaiá. Ar quente. Ainda assim, ela liga o aparelho porque o giro das hélices brancas deixa seus olhos mesmerizados. Iaiá é capaz de reconhecer a beleza do movimento

---

[1] Versos do samba-enredo do Império Serrano, em 1976. Autores: Vicente Mattos, Dinoel Sampaio e Arlindo Velloso

dos corpos, especialmente dos corpos circulares. É assim para o ventilador, como também para a lua que hoje está a pino no céu.

Como foi possível ver há pouco, Iaiá tirou do bolso da calça jeans o telefone e uma nota de dez. Despiu a blusa do uniforme, tirou os tênis e as meias, abriu o fecho da calça. A posição do sofá na sala permite que Iaiá veja a silhueta da lua no véu da cortina. Ela espera por essa oportunidade durante o mês inteiro, quer dizer, a oportunidade de estar em casa em noite de lua cheia, e ainda por cima com uma folga no dia seguinte. Não é que Iaiá não goste de seu trabalho. Longe disso. Ela tem muita sorte, cuida da seção das frutas. Convive com os cheiros, as cores, as formas de todas as frutas disponíveis na mercearia. E elas são muitas. Hoje, por exemplo, Iaiá empilhou as maçãs que chegaram. Fez uma pirâmide equilibrando centenas de maçãs, cuidando para que as faces vermelhas, as perfeitas e as imperfeitas, se acolhessem mutuamente. Não à toa as maçãs foram as frutas mais vendidas do dia, para alegria de Iaiá. Em breve, ela pretende trabalhar também com a seda que envolve as maçãs, construindo elementos decorativos para a pirâmide. Os tons de azul do papel lhe interessam.

Mas amanhã é dia de folga. Significa que, nesta noite, Iaiá pode dedicar quantas horas quiser à lua, assim como a esse lugar da casa que é só seu desde criança. O sofá. Como é possível notar, parte de seu corpo excede a borda do estofamento. Iaiá cresceu nas últimas décadas, mas o sofá continua o mesmo — o cheiro que ela reconhece desde bebê. Já despida, ela se joga de costas sentindo a superfície úmida de sua pele se aderir de imediato ao plástico que reveste o móvel. Por duas vezes, ela descola e cola as costas no assento para se acomodar melhor. Deixa os braços erguidos por alguns segundos para que o ventilador refresque suas axilas. Estica os lábios e assopra os seios. É preciso ter paciência, coisa que não falta a uma mulher que empilha maçãs.

Depois de alguns minutos, ela parece estar um pouco mais confortável e pronta para o sábado. Sim, ela está mais confortável. O sofá é o ponto de partida para o que vem a seguir na noite de Iaiá. A praia. Isso mesmo. Como em todo sábado de lua cheia, Iaiá se deita no sofá para ir à praia. As luzes da sala já estão apagadas, como deve ser. Não é a primeira vez que faz isso, ela sabe muito bem como preparar as coisas. Durante os anos da infância fez o programa em companhia da mãe e da avó, cada uma delas deitada em seu respectivo sofá — todos com vista para a lua na janela. Ir à praia sempre foi a atividade preferida das três. Hoje, mãe e avó não estão mais ali. Mas Iaiá sim, ainda está. E não é porque se tornou uma mulher adulta que seus planos mudariam. Pelo contrário. Ela se lembra perfeitamente das instruções recebidas. Se aquieta, fecha os olhos. É hora de fazer a travessia.

Ela se concentra buscando atentar apenas à sua própria respiração. De olhos sempre fechados, precisa fazer silêncio para começar a ouvir algo que virá de dentro. Iaiá não sabe ao certo onde fica esse *dentro*. Mas sabe que ele existe e que se apresenta sempre que necessário. De lá, Iaiá vai ouvir em breve um canto. E será assim: primeiro, a voz começará de longe, baixinha, e então virá crescendo até ocupar todos os instintos e sentidos de Iaiá. Foi sua avó quem cantou a melodia nas primeiras vezes, apenas para que a menina aprendesse a reconhecer as notas. Ainda que os barulhos da rua entrem pela janela e atinjam o seu corpo sobre o sofá, nada será mais alto do que o canto quando Iaiá começar a ouvi-lo. Ela já sabe disso. Se quando criança precisava escutar a voz até que ela estivesse bem rente aos ouvidos, hoje basta que ouça de longe as primeiras notas. O canto é a chave. Iaiá percebe a convocação das primeiras ondas sonoras invadindo suas células. E, nesse momento, basta que ela se entregue. Exatamente como agora, está escutando? Está escutando? Pronto. Aí está, é esse o canto. Significa que Iaiá está sendo levada. Sem sair do sofá, ela está sendo levada para a praia — ali dentro dos olhos tudo isso está acontecendo agora mesmo. O canto a leva para perto do mar, como já é possível ver. De agora em diante, sobre o sofá, basta que o seu corpo se mantenha de olhos fechados.

Do outro lado, na praia, Iaiá é pousada bem no início da faixa de areia. Prefere começar nesse ponto, de onde tem uma visão panorâmica da orla. Ela caminha até a beirada da água. Olha ao redor buscando avistar alguém. Por enquanto esse alguém não aparece, mas Iaiá sabe que é apenas uma questão de tempo. Quando ouvir o canto outra vez, Iaiá só precisará segui-lo. Isso já irá acontecer. No meio tempo, Iaiá aproveita para receber o sol a prumo sobre a pele. Quanto maior for a lua cheia no véu da janela, maior será o sol sobre a areia da praia. Iaiá esperou vários dias para estar diante da imensidão da água, com o sal das ondas prestes a tocar sua pele mais uma vez.

No sofá, uma gota de suor escorre de sua nuca e pinga sobre o forro de plástico. Do outro lado, Iaiá precisa se refrescar logo. Ela enche os pulmões e corre em direção às ondas. Fura a primeira delas. A água está fria a ponto de, sobre o sofá, os seus dentes travarem dentro da boca. Submersa, ela usa os braços para tomar impulso por baixo da segunda onda. Gostaria de ter força para se manter mais tempo debaixo d'água. Bastante tempo. Mas hoje o mar está mexido — como se pode ver pela espuma que escorre no sofá. Ela nada em direção ao fundo, para longe da arrebentação. Neste ponto das águas Iaiá conseguirá dar suas braçadas subindo e descendo no fluxo das ondas. Sobre o sofá, seu corpo sente pela primeira vez o refresco significativo do banho. E não abre os olhos, como deve ser.

O trecho da orla escolhido por Iaiá tem uma singularidade. Do lado esquerdo, o rio encontra o mar numa ponta de floresta, fazendo com que as distintas águas e a vegetação convivam de maneira interessante. Nadando alguns metros para o lado, ela alcança a faixa onde a água doce se mistura à água salgada, atraindo acontecimentos subaquáticos. Iaiá mergulha procurando chegar o mais fundo que pode. Nos segundos em que fica encoberta pelas águas, ela abre os olhos. Percebe que o tempo submerso é peculiar para o seu corpo, talvez pela nudez dos pulmões em contato com a água. Vê um pequeno cardume se aproximando. Esse cardume, como todos os cardumes do mundo, não precisa ser nada além de ágil e belo. Se formar um bom volume, fará sombra no fundo do oceano e será notado por outros seres marinhos. Iaiá gostaria de identificar similaridades entre o seu corpo e o do cardume. Algumas vezes, de fato, ela consegue. Um dos participantes do cardume vira os olhos e nota Iaiá ali ao lado: se separa um pouco do grupo para ver a menina de perto. Ele parece querer que Iaiá perceba algo ali no horizonte, algo que ela imediatamente compreende. Peixe e mulher estão ouvindo, claro e límpido, o canto que agora chega até eles. A melodia parece estar vindo do fundo, de um ponto onde nem o peixe, nem a mulher sabem ao certo onde é. O peixe convida Iaiá para se juntar ao cardume e se aproximar um pouco mais da origem do canto. Mas, a essa altura, a mulher já precisa respirar de novo.

Se ela contasse para a mãe e para a avó o que acaba de acontecer ali, no fundo das águas, elas anotariam cada palavra no Caderno de Mergulho. Pediriam que Iaiá narrasse o encontro mais de uma vez, sendo ainda mais específica quanto aos detalhes.

Detalhes como as cores do cardume e a melodia específica do canto. Se Iaiá confirmasse que, sim, as cores do cardume respondiam às mudanças da melodia — oscilando ora para o prateado, ora para o azul-turquesa —, então a anotação no caderno ganharia um símbolo especial. Uma estrela no topo. Não são muitas as folhas com essa distinção, já que são raras as vezes em que tudo se alinha em um mergulho: a transparência das águas, o ouvido de quem mergulha, a disposição dos seres marinhos e não marinhos para o espanto conjunto diante do desconhecido.

Se tivesse a oportunidade, hoje Iaiá desenharia ela mesma uma estrela no topo da folha. E perguntaria a uma delas, mãe ou vó, por onde anda o tal Caderno. Nas mãos de quem estarão essas anotações?

De volta à superfície e apenas com a cabeça para fora da água, Iaiá olha ao redor. Talvez tivesse vindo dali de cima o canto que ela ouvia há pouco, mas nada de diferente chama a atenção de seus olhos. Ela e a dona daquela voz se reconheceriam mesmo a um quilômetro de distância, ou mesmo com um véu entre elas, ou submersas, ou até mesmo se uma delas fosse invisível a maior parte do tempo. O encontro vai acontecer a qualquer momento, Iaiá sabe, basta esperar. Seus dedos começam a ficar enrugados. Ela resolve que é hora voltar à areia.

O plano inicial de Iaiá é sair do mar pegando um jacaré. E, de fato, ela pega. Desliza por alguns segundos o seu peito na crista da onda em total sintonia com o movimento das águas. Iaiá gosta da interação entre o seu corpo e a densidade que a mantém boiando. Mas, de repente, algo sai do controle. Uma força inesperada suga Iaiá para baixo. A sequência rápida das ondas estoura sobre sua cabeça convertendo rapidamente a harmonia em um caldo. Uma, duas, três vezes ela tenta respirar na superfície, mas acaba engolindo muita água salgada. Luta para não ser levada pela maré, mas seus braços formigam. Nesse momento, sobre o sofá, seu corpo precisa se segurar no encosto para não perder o equilíbrio. Iaiá começa a ficar seriamente cansada. De início, ela achou que recuperaria o controle rapidamente, mas agora já sabe que estava errada. Pela primeira vez na vida, Iaiá teme se afogar. Não consegue se lembrar de nenhuma página do Caderno de Mergulho que narre algo parecido com aquilo. Será que a mãe e a avó de Iaiá saberiam como se salvar? Iaiá não sabe.

Por sorte, há um salva-vidas programado para surgir na cena. E ele está atento a Iaiá. A mão entra na água e a agarra pelo braço, puxa com força o seu corpo para a superfície. Com as costas apoiadas no peito do salva-vidas, Iaiá segue o conselho que recebe. Respira devagar para controlar a tosse e recuperar o fôlego. O salva-vidas arrasta Iaiá até que ela esteja a salvo da arrebentação.

Já na areia, deitada de barriga para cima, os olhos de Iaiá são invadidos pela bola incandescente do sol. As bordas do círculo brilhante permanecem na vista de Iaiá mesmo quando ela fecha as pálpebras. De alguma forma, nesse momento os olhos da praia se confundem com os olhos sobre o sofá, fazendo do sol, de um lado, e da lua, de outro, os dois seres aos quais Iaiá recorre por um tipo íntimo de misericórdia. O caldo, o susto, a falta de controle, tudo isso seria um razoável pretexto para que, na sala de casa, o corpo de Iaiá abrisse os olhos e suspendesse a visita à praia. Mas todos os lados dessa existência estão comprometidos com o encontro que precisa acontecer hoje, entre Iaiá e a dona do canto. Falta pouco. Iaiá já sente.

Quando recupera o fôlego, ela se senta na areia. Com alguma surpresa, Iaiá observa o mar e vê que ele segue seus afazeres exatamente como antes. E as gaivotas também, seguem famintas como antes. As árvores às suas costas não se moveram e a água doce que chega ainda segue seu fluxo. Tudo permanece no mesmo lugar. Iaiá observa as águas e percebe que, apesar de quase terem matado uma pessoa — ela mesma — há poucos momentos, as ondas continuam o seu trabalho como se nada houvera. Para as ondas, Iaiá não é uma onda — não agora, não ainda.

O ventilador aos pés do sofá sopra um ar fresco que ajuda a melhorar a sensação abafada na praia. Iaiá olha para o horizonte e, sentindo uma leve tontura, vê saindo da água uma pessoa. Pronto. É ela. Iaiá não tem dúvida de que é ela a pessoa pela qual esperava desde que chegou à praia. Uma mulher. Iaiá tem vontade de chorar como quando era menina e a mãe surgia para lhe socorrer de um tombo, um susto. A mulher está sorrindo e ajeita os cabelos molhados para trás enquanto caminha sem pressa, se aproximando cada vez mais. Iaiá já não sabe dizer se é a mulher que finalmente chegou, ou se é ela mesma, Iaiá, que só agora está onde de fato precisava estar.

A mulher estende a mão, limpa as lágrimas de Iaiá sobre as bochechas. Faz um convite para que elas voltem juntas até o raso das ondas. Iaiá aceita. Elas caminham até que a água fique na altura dos joelhos, e então se viram de frente uma para a outra, de mãos dadas. Pela primeira vez neste sábado Iaiá se vê refletida no espelho d'água — sua cara enquadrada entre as mãos de ambas. Elas se abraçam e Iaiá toca pela primeira vez desde o mês passado a barriga da mulher, uma barriga cada vez maior, agora a meio passo de um nascimento. A mulher segura o rosto de Iaiá, sabe que chegou tarde hoje e por isso quer vê-la mais uma vez antes do mergulho. Iaiá coloca suas duas palmas sobre a barriga da mulher e, com a ajuda de um beijo tão longo e tão calmo, mergulha para dentro daquele corpo pelo qual tanto esperou neste sábado.

O trajeto é uma descida. Sim. É possível afirmar que é uma descida. Lá dentro, num espaço onde o canto, o mesmo canto compõe também as imagens e as cores, Iaiá perde a certeza de quem ela mesma é. Talvez seja a Iaiá com as mãos sobre a barriga da mulher, na praia. Talvez seja a menina a um passo de nascer dessa barriga. Talvez, ainda, Iaiá seja agora a mistura de sua mãe, sua avó e de todas as mulheres que vieram antes dela, ali unidas e indistintas em um só corpo gestante. Ou, talvez — ainda é preciso considerar —, Iaiá seja agora apenas um movimento, parte da melodia que é a expressão da água em si mesma, e que, por isso, flui para encontrar seu caminho.

E como todo caminho é fruto, antes de tudo, do sonho — Iaiá sabe —, ela se entrega sem pressa ao mergulho dando a chance de o tempo, ele mesmo, se impor. Afinal, não há pressa, ainda que haja urgência, e mesmo que continue sem saber o nome das coisas, sempre haverá um ritmo, uma dança, uma música que Iaiá será capaz de reconhecer nesse e em quaisquer outros mundos. No sofá, com o ventilador em rotativo, ela talvez não saiba, mas com certeza intui que não há mar tão livre quanto esse ao qual ela chega neste sábado, um mar para o qual não é preciso pedir nada, tampouco oferecer.

É para essas águas que Iaiá voltará em breve, e continuará voltando a cada mergulho, sempre que puder abrir os olhos uma outra vez.

XANGÔ

Assim como outras figuras míticas do panteão iorubá, Xangô é um personagem histórico divinizado, um dos primeiros reis fundadores da cidade de Oió. Vários mitos relatam como se encantou e passou à condição de orixá. Xangô é o deus nagô do trovão, da tempestade, dos raios, do fogo e da justiça. Impetuoso e viril, é um rei guerreiro conhecido por punir exemplarmente malfeitores e mentirosos. Dado aos prazeres e à opulência, Xangô desposou três aiabás (orixás femininos): Oxum, Iansã e Obá. Em muitas tradições, é considerado filho de Oraniã (outra figura histórica transformada em divindade) com Iamassê, um tipo de Iemanjá. É representado pelo leão e também pelo leopardo, característicos da realeza entre os iorubás. Suas cores são o vermelho, o grená, o marrom e o coral, sempre combinadas com o branco.

Xangôs

Fabiana Cozza

"Pedra rolou, fez clarão
Céu clareou, fez um risco
A voz do Rei é o trovão
O olhar do Rei é o corisco"[1]

I.

Bisturi é um instrumento de justiça.

II.

Ganhei um nome após quinze dias de nascida. Era preciso ver se o quinto filho vingaria antes de batizar a quarta sepultura. Na roça, é da natureza a família esperar o fruto dar sinais de raiz forte. Meu pai, Geraldo, viajou até Patangomi pra fazer os papéis no primeiro cartório da cidade, no fundo azul das Minas Gerais. O batismo havia de ornar com o que esperavam da vida, o que

---

[1] Versos da canção *Senhor da justiça*, de Paulo Cesar Pinheiro, interpretada por Gloria Bomfim no CD *Anel de aço*.

sentiam dela, haveria de definir a gratidão pela segunda criança iluminada, um tronco mais difícil de envergar, semente de boa colheita, presente de Xangô. Justa não era nome fácil, nem de coisa nem de gente. Não era substantivo para mulher alguma, batia à máquina o escrivão, escorria à boca pequena pelas quatro ruas e saídas da cidade. Pai assinou os papéis sem saber que, a partir de 25 de abril de 1975, sua menina seria Justínia Conceição Benedita dos Anjos. Nunca mais, Justa. Descobriu o peso moral do registro na primeira viagem para mostrar a cria à família, celebrar a saúde, o adubo, o esterco, a virilidade que capengava à beira dos 60 anos. Foi o motorista da viação Real quem me chamou pelo nome do papel pela primeira vez. Seu Geraldo não deu importância, pois acreditou que o funcionário franzino também não sabia ler. Mas o homem repetiu e repetiu e se enfezou. Justínia é essa menina? Sim ou não? O pai, desentendido da certidão, tentava argumentar que o nome correto era Justa. Mas como haveria de contrapor-se à superioridade do letramento, da canetada de alguém diplomado? O pensamento de regresso ao sertão da Serra da Canastra e às lâminas cristalinas do Velho Chico. Ali tudo era céu e os livros vivos: joão-cipó, lagarto-teiú, curicaca, seriema, tamanduá-bandeira, veado-campeiro, o rasqueado da colher de pau no tacho de barro fazendo farinha, torrando café, as peneiras num caxixi separando as sementes da terra. Escola de menino era vereda. Pôs-se em seu lugar com a esposa e o bebê enrolado no cueiro, no último banco, do mesmo lado do condutor. Viajou por horas tentando entender a extensão daquele nome diminuindo de beleza em seu juízo, traindo quem sempre honrou a palavra.

— Não era mentira, Maria, eu disse Justa, mas ele escreveu esse daí.

Não sabia pronunciar Justínia, que o cérebro tratou logo de apagar. Aquela filha que não se parecia mais com ele, uma janela emperrada, um antojo no peito em brasa, de raiva. Dai a César o que é de César. Justa seria razoável, incastigável, merecido. O pai dizia que o princípio da justiça acordava com as galinhas, na mesa do café, na partilha dos grãos de arroz e feijão e milho e batata, dependendo dos desígnios da estação, do temperamento do vento, do sol, da quantidade de chuva.

Minha mãe resmungava que o mundo estava do avesso feito menino que nasce sentado, dinheiro que fala com pobre. Que a verdade e o diabo eram um olho só, que o escrivão faltou com a decência. Que a gente registra o nome no mundo e que este mundo não é nosso. Nem de Deus. Porque Deus está na casca da maçã vermelha, o caroço de dendê, a baba de quiabo, o rabo de boi, talo de pimenta, amalá.

Justínia Conceição Benedita dos Anjos. O que tem o nome de celestial tem dos contrários. Porque nada existe sem Exu. Isso aprendi ainda criança sentada na esteira do santo, por cima das folhas de aroeira. O que é justo nem sempre é certo ou tem direito. O que é justo é alvo e tem um lado do machado. Ou da foice. Todo o mundo carrega essa coisa de justiça, uma espécie de tribuna, de estádio. Justiça não lava as mãos antes das refeições nem limpa os sapatos no capacho da porta antes de entrar. Farinha pouca, meu pirão primeiro. Sabe como é? Justiça tem uma coisa de várzea, de vazio, de viés, de bando, de lodo. A justiça é fortaleza cruzada, sombra do medo, enxame. Para uns, a justiça se firma na tinta, no final do documento, em cima do carimbo, da digital do sujeito analfabeto. Consciência é de outra ordem, não tem nada a ver com celulose, alfabeto, literatura. É feito a verdade, rata de porão, tridente e tribuna, lugar onde o corpo é obsidiado.

Verdade é um troço que mora em dobradiça, no metal que não se corrói: rutênio, ródio, paládio, prata, ósmio, irídio, platina, ouro. Nessa ordem, a sequência e ascensão da nobreza. O justo dá as mãos aos que fecham com ele, cantam o mesmo verso, bailam no fio da pedra rindo da minha cara, exibindo o resto da comida entre os dentes. Melhor ser Justínia. Nada, sentido algum, composição nenhuma, pura alienação, livre associação do escrevente. Dispenso essa beca, essa irresponsabilidade, a patente.

Justa é a lança na ponta dos meus olhos quando decretaram minha sentença.

III.

Dora, minha mãe, disse que a justa beleza mora na flor do amor, o sorriso, na jiboia no rio desencalmado, nas águas que anuviaram o pai, que envernizou a margem dos olhos e foi morar na saudade. Justo é o umbigo arranhado de semba, o miudinho pipocando no terreiro, a maré imitando a ciranda, as cabeças pássaro dos meninos eriçando pipa, a faca feito serpente no chão capoeira, os nervos da cordilheira pintada de branco saudando o orixá Funfun.

Na vila da minha infância, havia Socorro. Quando o inglês virou disciplina obrigatória e entrou no currículo escolar, Socorro virou Help. Teve uma vida congelada na dor e morreu de boca sorrindo, episódio que rendeu fama nacional para cidade, horário nobre na TV e falas exaltadas no palanque da Câmara dos Vereadores. O mistério do sorriso da defunta foi tanto que nem o padre da capital, encarregado da nomeação do pároco de Pirapora, foi capaz de arriscar palpite ou homilia.

O filho do meio, envergado sobre o caixão, anunciava que a boca teimava em não fechar, o que espalhava um ar bizarro, um certo terror ao ambiente austero do velório. Os poucos dentes eram todos dela. Help morreu caçoando. Acho que se animou naquele instante. Fez as pazes com o inferno carnal, com as amigas beatas que comeram o marido, a mãe que a beijava solapando as pernas com vara de marmelo; desejou ter Mario por perto, o homem com quem inflamou-se de prazer, o melhor e mais amigo, o segundo companheiro e único amor, sumido no verão de 79 sob os coturnos da ditadura.

Fui conferir bem de perto. A boca rasgada de Socorro era pura gaiatice bufônica, riso indecoroso de quem passou um cheque sem fundo na hora do infarto e brincou de malabares, deu de ombros às noites insones que lhe renderam a primeira depressão, o grisalho dos cabelos, a falta de apetite. A única vez em que se dirigiu a mim foi na festa de caboclo e, ao que tudo indica, falavam por ela.

— Viva Justínia, viva!

Sentenciava entre moedas de ouro nos colares, um cravo no decote, girando os barrados da saia.

— Viva porque tudo aqui é breve e a gente esquece depois.

O perfume de macassá adoçava a figura ardente de Maria Mulambo transformando-a, na minha mente infantil, em fada ou princesa, quase uma tia Frederica, a preferida da família.

IV.

Minha mãe nunca mais ficou boa depois da morte do meu irmão. Qualquer pedaço de chão era um mesmo corredor sem pulso nem oeste, caniço, pururuca. Arrastava o peito como um suporte de metal, uma câimbra, um caldo fino. Deu de sibilar e beber o mundo engasgando, carreando pedregulhos, a gema despejada no oitavo mês. O lado esquerdo virou quintal de um cerrado novo e ermo. Quando o corpo acerejava, pedia para ver o filho, o filho no berço. Perguntava se já era hora de tirar mais leite, se o neném chorava na sua ausência, se gostava do sol, do banho da luz, se sugava a chupeta feito caju doce. Diante do silêncio, do ser, naufragava e passava horas olhando, de fora, borboleteada de si. Observava a tudo e descamava lenta. Os lábios despatriados furtavam vogais entre caninos e molares. Nada era mais injusto do que assistir àquela mulher entardecida em amarelo posto, vesga, inclemente. Nada era mais triste do que a carcaça do berço.

A vida desumbigada num segundo, repetia o preto-velho sentado no toco, enfumaçado do cachimbo.

— Não tem folha que benza esse solavanco, que dê paz à disritmia, que questione o Tempo.

A cada respiração uma fermata, o ramo de alecrim feito vassoura na cabeceira da cama, a chuteira sustentada por um laço na porta do quarto, um nome decomposto. O peito nascente de tristeza.

Um dia compreendi que a medida do justo é também a fome recém-nascida, sem penugem. No ninho, goela abaixo, quando o anu-branco pousa o alimento na garganta do filhote ainda protegido pela casca. Vida se paga com vida, ensinava o bicho. O que é da terra não tem outro pertencimento, mesmo quando nasce torto ou troncho. Cada raiz tem seu tempo de cozimento ou cede na pressão.

Tuca, a cachorra, trouxe o filhote sorridente, ainda de corpo quente, como se fosse o meu prêmio, uma espécie de gratidão antiga por sua adoção. O pintassilgo caiu de uma altura de uns dois metros, do beiral da calha, vazou do ninho ou foi expulso. Coitado. Tentei salvá-lo quando seu corpo foi despejado aos meus pés. Tuca salivando, prudente. Chamei o Flavio, que interrompeu o arado para atender minha urbana aflição diante do corpo ainda despenado, mas esperançoso, um pedaço de carne que se movia lento no gramado da casa.

— Se tivesse uma escada, a gente colocava lá em cima de novo, no ninho.

Mas então ele vai morrer e a gente não vai fazer nada?

Essa é a vida deles mesmo. A natureza encarrega.

Me esqueço sempre.

Justa era aquela pequena hóstia à terra. Cordeiro, lasca do divino.

V.

Meus pais se conheceram numa vila, próxima à estrada que desemboca em Pirapora. Mãe vinha a pé do alto da pedra, abraçada à lua que se pronunciava no horizonte, à linha da curva do bananal, descortinando o final de tarde carmim. Desse ponto da trilha avista-se o telhado do bar do Maninho onde magicamente é preparado o caldo de mocotó mais saboroso da região. O segredo do tempero ainda hoje é guardado feito pergaminho no quintal de mãe Giorgina, a ialorixá que batizou quase toda a irmandade dos moçambiqueiros do bairro de Cachoeira Grande. Mulher de vista baixa, sombreada. De suas mãos escorriam o frescor das ervas, as bolsas d'água e seus rebentos, os banhos de cheiro. Da boca, as palavras que encantavam e faziam as folhas dançarem. Conhecia a língua das aves como sabia ler os odus, num destino em que búzios, pequenas pedras e conchas eram migalhas anunciando caminho e criatura. Passava noites decifrando o cochicho da coruja branca sentada na entrada da casa, quando a mata era berço para a terra repousar e rezava o nascimento do dia seguinte.

Quando enxergava a ponta do Cruzeiro do Sul inclinando o céu, Giorgina buscava a viola e atravessava a paisagem cantando numa língua dos antigos. Mãe a cumprimentava com reverência, fazendo das palmas um mosaico, um trançado, um encaixe justo que tocava as linhas dos dedos da mulher.

Nasci pelas mãos pretas de Giorgina, que veio às pressas acudir o chamado do pai. Outras tantas crianças da região eram atendidas por Dr. Baby. A mãe de santo entrou na casa com um punhado de ramos verdes arrastando, de dentro pra fora, coisas que só o couro do corpo sentia. Inclinada, como se mais velha, pedia licença ao povo da Aruanda, à vovó Almerinda e vó Maria, ao pai Joaquim de Angola, seu Malunguinho e seu Zé Filinto, dono da porteira grande. Chamava Mestra Luziária, Dona Juju, Mestra Jacira, seu Pena Branca e seu Sete Flechas.

De adjá em punho, saudava o chão e a grandeza de Omolu, a força da senhora cuidadora e mãe de todos os orís, Iemanjá; murmurando, chegava ao ventre de Oxum, batia palmas ao enunciar o manto branco de Oxalufã e o conhecimento sob seu cajado; bradava a coroa do rei que cospe fogo e lava. Que Xangô abençoasse a boa hora. As mãos molhadas dentro da bacia de ágata agradeciam, enfim, a presença dos médicos e enfermeiros do Orum e as estrelas. Desse rosário nascemos eu, João Vicente, Pedro Henrique, Paulo Jorge e Maria Amélia, meus irmãos mais novos. Nunca aceitei tanta reza e tanta morte. Tanta luz, tanta cruz, tanto menino desencarnado. Quando criança, lembro-me das datas em que mãe não deixava o quarto e jejuava o dia todo. O rosto de meu pai era adeus e silêncio. Eu sentia muito frio.

Quando a universidade deixou de ser um sonho e me graduei em enfermagem, voltei a Pirapora com diploma, beca, a saudade do café de Dona Dora e o cheiro da laranja vermelha partida pelo pai. Num tempo dividido entre família e amigos, fui visitar mãe Giorgina, dois meses antes de sua passagem.

Estava na mesma varanda, balançando. Já me aguardava mesmo sem receber nenhum recado ou telefonema de que eu apareceria. Olhou longe em mim e sorriu. Apontou para a cadeira de treliça para que eu me sentasse, estendeu uma caneca com água fria da quartinha de barro e pôs sua mão delicada sobre o meu joelho. De um pequeno vaso, retirou e estendeu-me quatro botões brancos. Eram margaridas, as mesmas que enfeitavam o altar dos santos.

— O vento carrega as folhas para longe, Justínia, mas deixa rastro. Tem muito nome descampado na sua família, mas olho de Exu anda no escuro e a tudo vê.

VI.

Meu pai, Geraldo, era pura festa do mercado, aquele bando de menino que nem formigueiro, inventando traves de palito, piões com buriti, anunciando um canto novo feito rabiola, a justa conta de uma alegria preta. Acertava no amor faltassem outubros sobre a mesa, o figo verde com cravo na caneca de alumínio. Existia naquilo que imaginava e sua mente era um riacho de tipos raros.

A conversa com mãe Giorgina saiu da cabeça e passou a habitar minhas noites num vaivém de pessoas em miniaturas cor de laranja, azul, roxo, vermelho, trajes geométricos, falas de consoantes. Onde estavam os corpos dos meus irmãos?

No juízo, Aurea, minha boneca de pano. Estava diferente e não tinha mais as marcas de amarelinha, pique bandeira, queimada. Sua roupa puída pela infância, longe. Tinha as mãos borradas. No lugar dos traços com lápis, os olhos agora eram de vidro e me sentenciavam num corte transverso, de quina: onde estão os corpos de seus irmãos, Justínia?

Os protocolos dos bebês eram inventados semanalmente. Aurea conhecia os fios do meu cabelo, a força das minhas unhas em seu tecido mole quando eu a enfiava por horas submersa em sabão no tanque de quarar toalha de mesa, pano de chão. Pura reprimenda por alguma desobediência. Ou um desejo meu de esquecer.

Estariam os caixões lacrados de meus irmãos todos vazios?

As mães, apartadas dos filhos, eram mulheres de seios e leite interditados. Toda a venda dos bebês era em moeda estrangeira.

Dr. Baby, médico obstetra, 35 anos de tradição.

Desde que se despediu das crias, Dora, minha mãe, era a vida instaurada numa ribanceira surda, um corpo desautorizado. A língua de meu pai sem comprimento, sem fôlego para pronunciar nomes estrangeiros: João Vicente Slavstch, Pedro Henrique Maiarovitch, Paulo Jorge Schöes.

Justiça é feita de memória e bisturi. Desapaixonadamente. Na carne. A força do machado, da foice, da flecha, do espelho, das águas. A tempestade, o mangue, o sangue da cabra, as penas. O fundo do quintal das Gerais e meus irmãos brincando de roda, livres.

Não haverá enterro de Dr. Baby. A viúva decidiu incinerar o corpo.

O médico deixa quatro filhos e cinco netos.

IROKO

Iroko é o orixá da paciência e da longevidade. Mora numa grande árvore e com ela se confunde. A árvore de Iroko, para alguns, foi a primeira a surgir na Terra. Em certo mito do candomblé, conta-se que suas raízes profundas ligam o Brasil à África. Seu tronco é habitado por espíritos ancestrais, em seus galhos pousam pássaros sagrados que transportam mensagens entre o Orum, o mundo espiritual, e o aiê, o mundo material. Também se relaciona com as Iyami, mães e feiticeiras ancestrais de imenso poder. Iroko está associado a Oxalá e aos demais orixás funfun (isto é, aqueles representados pela cor branca), mas também é próximo a Xangô. Raros são os filhos de santo a ele consagrados. Entre suas cores predomina o branco, mas se destacam também o verde, o marrom e o cinza.

A devoção sagrada de uma semente

Itamar Vieira Junior

Esta história se inicia pelo fim, porque tudo o que você viveu um dia se extinguirá. Aquela Gameleira de folhagem abundante, que habitava a paisagem do mundo, agora se reduziu a parte do seu tronco e raízes, talvez já mortas, submersas sob a terra. Se aquela árvore fosse uma mulher velha, poderia ter nos contado o que se passou à sua volta. Era possível também que soubesse mais sobre nós do que nós mesmos. É o que você pensa que aconteceria se alguém se dispusesse a escutar o que ela tinha a dizer.

Mas agora o que você percebe é que com sua presença no espaço de nossas vidas, atravessando-nos por gerações, talvez não houvesse quem lamentasse sua morte. Uma reclamação entre uma conversa e outra poderia ser feita, enquanto o ônibus não chegava à parada próxima. Ou mesmo os estudantes da região talvez reclamassem a falta de áreas verdes na cidade e usassem o exemplo da árvore morta como mote para os discursos dos que precisam dar sentido às próprias vidas. Mas nunca pensando na árvore como um ser consciente: quiçá dores, razões e afetos para querer-se viva. Nunca pensando no seu direito a continuar — essa volição que nos acompanha e que está na semente —, independente dos desejos alheios. Era o que você gostaria que tivesse ocorrido, que tivessem respeitado o direito de existir daquela árvore, que lhe foi negado.

Você gostaria que ela não tivesse ido apenas por isso.

"Essa criança é de Iroko", disse *Yá* Ana ao passar sob a copa da gameleira, que de tão frondosa permitiu que apenas um único feixe de luz a transpassasse para repousar no ventre de Noélia.

"Mas eu nem espero criança, *Yá* Ana. Não me diga uma coisa dessas, já tenho seis", foi o que ela disse com seu semblante de espanto, o corpo sem se mover, enquanto a *Yá* se curvava para colher algumas ervas que cresciam naquela grande sombra.

Dali a trinta e nove semanas, enquanto varria a casa e cozinhava como se fosse um dia qualquer, Noélia sentiu seu corpo pesar de dor. Pediu que os filhos maiores chamassem a nova parteira. Quando a mulher apontou na porta e se mostrou por inteira, Noélia se repugnou ao ver suas unhas grandes e aparentemente sujas. "Não", disse ao se levantar da cadeira, como se as dores tivessem cessado, "Foi sinal falso". A mulher ainda quis examiná-la, mas ela lhe deu as costas e continuou a varrer como se nada estivesse acontecendo. Em duas horas a menina de pele clara e levemente arroxeada nasceria tranquila para, depois de um pequeno choro, sorrir.

"*Erò*", saudou *Yá* Ana ao carregar a criança, e pediu a *egbomi* que levasse uma quartinha de água limpa e mel para a Gameleira. "Essa criança é de Tempo, me diz orixá, e o Ifá há de confirmar o que é para ser saudado. Tempo é raro, nasce um aqui e reina sozinho. O próximo encontraremos mais adiante".

Devolveu a menina a Noélia.

"Enquanto ela não puder cuidar do orixá, cuide você. Água limpa, quiabo e mel, quase papa, toda terça-feira ali naquela Gameleira", e se ergueu para com esse gesto dizer que era hora de ir.

Quando Sebastião adentrava a mata, imaginava que as árvores tremiam de medo.

Tudo isso porque de suas mãos predadoras emanava a morte. Servindo aos interesses dos donos da terra, ele devorava árvores e animais. "Deus colocou na terra foi pra usufruto do homem", era o que dizia quando contestado, como se tivesse apagado de sua memória o que havia lhe ensinado seu velho avô nas caminhadas pela mata, sempre educando os que o cercavam sobre os mistérios da terra, ou sobre como se identifica a linguagem dos céus para saber quando haverá chuva ou estiagem. Que cacau só cresce em sombra de árvore. Que a destruição da mata é a nossa própria destruição. Mas havia tanto mundo, tanta mata, que era possível que essas palavras não tenham permanecido entre as importantes guardadas por Sebastião, simplesmente porque o mundo era abundante, não iria acabar. Agora ele seguia as ordens dos forasteiros sem questionar se era certo ou errado. Precisava do que lhe pagavam, e ele, nascido e criado naquelas paragens, era quem tinha domínio e conhecimento para adentrar a mata, fazê-la tremer e transformar árvores em riqueza para os coronéis.

Mas naquela fazenda, de todas as fazendas onde labutava com o seu machado, ali perto do seu rancho, se erguia uma árvore de nome misterioso: *Loko*. Se recordava que seu velho avô a dotava de grande mistério. "Não chegue perto dela", "Não rasgue seu tronco", "Não retire suas folhas", "Abaixe a cabeça em respeito quando por ele passar". Ninguém havia plantado, ninguém sabia como havia surgido. "Está lá desde que o mundo é mundo", teria dito Sebastião certa vez a um peão, repetindo o que havia escutado. Mas sabia que da natureza viva, abrigo dos pássaros e sombra para o sol do meio-dia, além da circunferência de tronco que deveria ser de boa madeira, havia também remédio para muitos males, que por desinteresse e cegueira não sabia manejar.

Para *Loko* correu depois de três dias de uma dor de dente excruciante. Sem previsão para o médico que os tirava voltar àquelas paragens, só restavam os remédios que a mulher lhe fazia, mas nada parecia adiantar: alho, bochechos diversos, cravo pilado, cebola crua. Foi quando lembrou daquela tarde que o avô trouxe um pouco do leite da raiz de *Loko* para curar a dor de dente de sua avó. Lá se foi Sebastião, meio sem jeito para reverenciar a árvore, mas com uma dor violenta que lhe tirava o sono há dias e o impedia de seguir sua rotina de trabalho: corte de lenha, feitura de cerca, corte de madeira, carvão. Aos seus pés, não precisou cavar fundo: uma raiz fresca parecia estar à sua espera, com quase nada debaixo da terra. Ali mesmo pilou numa pedra cavada e pôs o leite ralo por cima do dente. Logo o dente adormeceu junto com os outros, porque no seu desespero Sebastião conseguiu extrair uma grande quantidade de leite.

Quando despertou, já não havia mais dor, mas a língua ainda dormente projetou alguns dentes para frente. Ao levar os dedos à boca, sentiu-os moles e pensou que era efeito do remédio, que logo voltariam a ser como eram. No caminho para casa, dente a dente foram deixando sua boca com escarros amargos que lançava ao chão tentando se ver livre do gosto ruim que agora crescia. Dente a dente foram ficando pela vereda como sementes e ovos goros que não vingariam, até deixar sua boca, completamente desnuda, emitir um lamento triste por tudo que havia provocado.

Quando Igi percebeu que sua aldeia estava sendo queimada e tomada pelos guerreiros do norte, e que logo estaria morta ou seria feita prisioneira, correu para o *ìrókò* e pegou a única coisa que poderia carregar consigo: um *irugbin* que adormecia no chão ao lado de muitos outros. Foi com este mesmo *irugbin* que aplacou primeiro a solidão do porto, enquanto aguardava por dias o seu futuro, sobre o qual nada sabia. As papas de inhame uma vez por dia, e em alguns poucos dias peixe, a mantiveram viva, embora sentisse seu corpo se roer sucumbindo à própria fome. Depois, quando a acorrentaram com muitos outros nos porões de grandes embarcações, procurava por aquele único *irugbin* escondido nos trapos envergonhados que não a cobriam mais sem lhes dar qualquer dignidade. No oceano, Igi envelheceu anos e anos, mas não se importava, porque o *ìrókò* de sua aldeia também era velho, os seus antepassados também eram velhos, assim como todos os orixás. Ser velho é ter sabedoria, a dádiva, por isso estava conformada. Mas envelhecia muito mais rápido que o esperado, como se o Tempo abrisse a boca com voracidade para engolir tudo. As coisas aconteciam de forma tão violenta que Igi envelhecia, mas sem se sentir sábia. Via os corpos que não suportavam a travessia serem jogados ao mar. Não se sentia madura porque ainda não tinha respostas para a fome, o medo e a saudade. E por mais que amasse a água, não queria também descer ao mar, solitária, para ser devorada pelos peixes.

Depois de ser vendida como coisa, trabalhar sem descanso, Igi sentiu seu corpo declinar mais e mais, alcançando um limite que seus poucos anos não imaginavam existir. Lembrou-se do *irugbin* guardado naquele pedaço de trapo e escondido em um buraco na parede, onde vez ou outra colocava o dedo para sentir sua casca lisa. E quis vê-lo nascer, porque se não conseguia retornar à sua terra, queria poder tê-lo aqui sob os seus olhos. Estava consciente de que não conseguiria ver o *ìrókò* crescido. Era quase certo que não lhe restava muito tempo.

Em seus sonhos, aquele *irugbin* seria tudo que Igi não poderia mais ser.

Moça feita, Olívia fez seu bori sob as bençãos de *Yá* Ana. Cresceu reverenciando seus antepassados e sendo educada nas tradições de seu terreiro. Havia aprendido sobre a importância de levar à frente o que o destino lhe ofertou.

"Por que, minha mãe?"

"Porque não somos nada se não tivermos raízes. E para ter raízes, é preciso terra e água, retirar os obstáculos a sua volta para que se possa crescer."

No dia em que *Yá* Ana se foi para o Orum, iaô Olívia se sentiu órfã de sua mãe mais velha e se fechou com o povo de seu terreiro para o axexê. Ali pôde colocar em prática com as mulheres mais velhas da casa todos os mistérios da natureza da vida e da morte que *Yá* Ana havia ensinado.

"Vida e morte são uma coisa só. É o vento que sopra ora manso, ora revolto, mas sempre constante."

Olívia era menina nos sentimentos e se sentia dia após dia desamparada com a ausência de Mãe Ana. Buscava a sua sabedoria nas mulheres que zelavam pelo *Ilê*, mas jamais encontraria da forma como vivia em *Yá*. Esqueceu-se até do *ìrókò* velho sombreando o terreiro. Esqueceu-se das palavras de *Yá* de que ela não precisava de nada mais além do que estava à sua volta. A árvore, serena, no seu próprio silêncio, indicava o caminho para se atravessar a tormenta, mas Olívia não conseguia sentir.

Uma semente rolou para o pequeno farnel de mantimentos que José levava para guerra sem que ele se desse conta. Ele e outros homens seguiram para o Paraguai com a promessa de que seriam libertos ao retornarem. Só por isso aceitaram matar e morrer nos campos e charcos quentes. Não poupavam ninguém, mulheres e crianças pereceram pelas espadas que receberam para o combate. A semente com a cor da sua terra, do chão em que nasceu, foi guardada como um amuleto nas vestes, próxima ao coração, para que o protegesse da lâmina do ódio.

Quando a luta acabou, José não teve sua liberdade. Retornou para o engenho que havia deixado com a promessa de alforria. Não se conformou com a mentira que o levou ao *front* e o fez ver uma violência que nunca mais veria. Meses depois, José matou o capataz e fugiu com outros homens feitos escravos, se embrenhando nas matas até encontrar um lugar onde fossem livres. Foi em um lugar distante, onde achou que poderia repousar, que plantou a semente-amuleto que o protegeu da morte. Se a semente o havia protegido, quantas bençãos teria se se tornasse uma árvore, se perguntou. Ali nasceu mais um *ìrókò*, que tinha como ancestral o que foi plantado por Igi, que por sua vez tinha por ancestral um *ìrókò* de quase duzentos anos que vivia no centro de sua aldeia. Mas nada daquilo José sabia, nem mesmo intuía. Aguou, com especial cuidado, aquele companheiro para que crescesse forte.

Ainda o viu avançar muitos metros, na mesma medida em que avançava sua descendência com filhos e filhas, filhos dos filhos dos filhos. E teve atendido o pedido de ter seu corpo enterrado após sua morte, aos 109 anos, sob a sombra da árvore que foi seu amuleto.

Olívia abandonou o *Ilê*, mesmo sendo aconselhada para que não o fizesse. Casou-se com um homem cristão e considerou ter encontrado o conforto para a ausência de sua *Yá*. Para o casamento, Olívia foi batizada em uma nova igreja e, enquanto construía a própria casa, foi morar com o marido, na casa de sua mãe, Noélia. Para ela as coisas do axé estavam no passado, "agora sirvo a Jesus", era o que dizia. Quando, ao som dos atabaques do *Ilê* onde cresceu e que ficava a poucos metros de onde morava, ela se virou no orixá, a mãe e o marido discutiram sobre o que deveria ser feito: enquanto ele a considerava possuída pelo demônio e queria resolver com a presença do pastor de sua igreja, Noélia não via solução que não fosse levar Olívia para o *Ilê* e deixar que o caso se resolvesse por lá, pois sempre havia sido assim. Noélia venceu o embate e a levou virada pela rua, sem a ajuda do genro, que se recusava a pôr os pés no barracão.

Logo depois o casal antecipou a mudança para a casa nova, onde toda a vida cotidiana era decidida pelo marido. Fazia valer seus privilégios de homem contidos nos escritos do livro sagrado. Vieram os filhos, os batismos, os textos dos profetas e apóstolos, os cânticos que soavam estranhos na sua língua materna, que nunca havia sido na sua casa a língua das coisas do espírito.

O tempo passou tão depressa, como talvez tivesse ocorrido com todos os seus ancestrais ao perceberem, um dia, que a vida era quase nada. A cabeça ficou branca, os netos nasceram e Olívia ficou viúva. A única coisa imutável no seu mundo era a Gameleira de sua infância, e as muitas outras da cidade que a remetiam ao conforto que as palavras do pastor e irmãos de fé eram incapazes de lhe dar.

As grandes árvores, em suas vidas silenciosas, vez ou outra mutiladas pelas motosserras da Superintendência de Parques e Jardins da Prefeitura, eram como estradas para a casa dos seus ancestrais. As mulheres que a haviam levantado no colo, outros que a haviam carregado apenas nos sonhos de um futuro melhor. Foi assim que percorreu sua história e encontrou os que a antecederam, os que habitavam o fundo do fundo de seu sangue.

Dia após dia, observei você se aproximar, quieta, do tronco que haviam dividido. Era como se você quisesse dizer-lhe algo — e dizia porque seus lábios se moviam em uma prece, talvez uma música, um lamento ou mesmo palavras sem sentido —, sem que ninguém que passasse por você se desse conta dessa luta diária. Primeiro trouxe um *ojá* branco, de alguns metros, que envolveu no tronco com cuidado, como se fosse a atadura que cobria uma ferida. Depois, nos dias que se seguiram, sentava-se ao seu lado e ali permanecia por horas. E eu me perguntava: "será que você não tinha mais nada a fazer a não ser lamentar a vida daquela árvore?".

Foram tantos dias que perdi a conta. Você fez dessa pequena jornada — de onde ela vinha? — seu ritual sagrado com a devoção dos que amavam e compreendiam as coisas vivas. E depois da chuva, as folhas nasceram verdes — primeiro um galho impossível, depois outro e outro — e o vento na teia de verde ritmava as horas como o pêndulo de um relógio. Você voltava, dizia palavras, sentava ao seu lado na esperança de que o corpo da árvore logo fizesse sombra para os que habitavam a terra, que fosse chão para os pássaros que viviam ao vento. Devolveu a devoção sagrada de uma semente, que do mínimo se faz uma grande vida.

Era possível que você tivesse encontrado o que procurava.

ODUDUA

Odudua é a divindade nagô responsável pela criação do aiê, o mundo terreno. Há um mito que conta que Olorum, o deus supremo, entregara esta incumbência a Oxalá, mas este não conseguiu completar a missão. Foi então Odudua, a contraparte feminina de Oxalá, quem tomou do apô iuá o saco da existência, e criou o mundo tal qual o conhecemos. Odudua representa a energia feminina, a terra, a noite, a lua, a morte, enquanto Oxalá está relacionado com a energia masculina, o céu, o dia, o sol, a vida. Não se inicia na cabeça de ninguém. Odudua confunde-se com um personagem histórico, o rei conquistador que fundou a cidade de Ilê Ifé, berço da civilização iorubá. Integra grupo dos orixás funfun, isto é, as divindades primordiais identificadas com a cor branca. Entretanto, também está associada ao preto.

Lama que cura

Aidil Araújo Lima

Mãe Zia lia com os sentidos. Às vezes, ela agia como se houvesse fecundado a terra, soubesse de seus segredos, como mãe atenta à vida descobre num piscar de olhos se o filho está mentindo. Certo dia, ela disse: a chuva desce, molha a terra e salva as plantações de morte certa; então deduziu o poder de cura dos males da vida humana com essa mistura — água de chuva e terra. Nessa hora agia sem ouvir opinião alheia, pois dizia: tem ocasião em que a palavra repetida como verdade deturpa a realidade. Uns achavam loucura, mas o resultado era bom, ela aplicava essa lama na gente e sarava qualquer doença. Lembro-me de um episódio no qual a Berenice, um ano mais nova que eu, em suas estripulias na chuva, subiu na árvore; nesse mesmo instante um raio caiu nessa árvore, e ela despencou na lama, ninguém sabia se viva ou morta, acho que até minha mãe prendeu o desespero na garganta. Todos da redondeza ficaram paralisados, queriam pegar a menina, por outro lado não se arriscavam a perder a vida. Minha mãe não hesitou um segundo, correu e soltou o grito preso ao corpo num escorrego entre a terra e o aguaceiro, agarrou a filha e rolaram as duas na terra molhada. Levantou esticando Berenice, pesada do susto de terra grudada ao corpo, ninguém de coragem ofereceu ajuda nessa tarefa. As duas chegaram a casa, enlodadas e salvas, ninguém explica como depois de um raio a pessoa sai intacta, minha mãe sabia. Quando nasceu outra dentro de mim, a menina e a mulher se misturando no apercebimento da vida, atinaram sua sabedoria do mundo. Antes, eu ria e ia me deixando fecundar pelos pensamentos alheios. Quando nasci, minha mãe me deixou pelo avesso durante sete dias. Sem sair do quarto, até as roupas usadas em mim eram viradas ao contrário. Esse costume foi trazido lá da África por meus ancestrais. Uma maneira de subverter um destino amargurado.

Eu ria dessas conversas e pensava ser crendice de gente sem instrução. Um dia, de repente, os sinais foram se mostrando, primeiro um livro, li todo. Uma inverdade sobre meu povo. Li novamente, e de novo. Escancarei o olho. Eles mentem. E agora? Teria que ler tudo novamente? Todos os livros que li até esse tempo? Como criar outras verdades? Foi aí que percebi que minha mãe sabia muito, mais que tudo isso que estava escrito. Mais um sinal, de olho novamente. Acho que pelo olhar o mundo se faz. Tem um olho escondido nos nossos sentidos, pois os cegos também enxergam, basta estar conectado, desligado do vazio que nos impõem as aparências. Há alguns dias senti a vida perdendo a alegria, foi esvaziando o riso, o encantamento com as coisas belas, me senti murchando, igual planta acabrunhada, precisando de água de renascimento, pensamento estacado no nada da existência, parecia um buraco em que deixamos de ser alguma coisa; foi quando me lembrei da cabaça, minha mãe sempre usava nos momentos de aflição da vida. Pedi com fé que a criadora de todas as coisas me ajudasse a tirar essa apatia e me renovasse como uma árvore brotando novas folhas, e no mesmo instante uma ventania sacudiu o desalento. Ao me deparar com o espelho, me percebi linda, fui à festa da lua cheia. Cheguei tarde, pé a pé, ela me esperava na cama, preocupada com meu destino, disse:

Amanhã conversamos.

No dia seguinte, estava a ler sob a mangueira, ela se aproxima com ar de preocupação. Começou decretando meu amadurecimento, falou sobre eu ter entendimento em assuntos mais avançados, pelo visto, se iniciava uma nova etapa em minha vida. Essa conversa aconteceu no fim de tarde, as crianças brincando no terreiro, ela se aproximou de mansinho e disse:

Sabe, minha filha, você já está ficando uma mulher, precisa entender certas coisas. O útero da mulher é como uma cabaça, quando fertilizado, gera outros frutos, outras vidas. Nós mulheres somos responsáveis pela perpetuação da vida humana na terra. O homem coloca a semente e nós carregamos o filho por nove meses, cuidamos com muito afeto da sua sobrevivência, educamos e os guiamos a um destino de menos dificuldade, estimulamos sua capacidade de ocupar espaços de liderança, dignidade, felicidade. Por isso eu te digo: é muita responsabilidade gerar um filho, só o faça quando estiver pronta.

Minha mãe tinha intuições repentinas. Sua vida não foi fácil, assim como muitas mulheres criou os filhos sozinha, seu útero era como uma cabaça onde os homens depositavam o esperma e depois sumiam. Ela nunca se queixou da vida. Só pedia aos filhos foco nos estudos, que enxergassem a oportunidade de ter conhecimento, mesmo em escola pública ela arranjava livros nos lugares em que fazia faxina. Salvou a vida de tantas pessoas sem distinção. Não aceitava pagamento — ela dizia que não podia cobrar pelo que a natureza oferecia com tanto amor, só utilizava as ofertas da mãe terra, sem cobrar nada por isso. Isso era verdade, muitos diriam: que bobagem é essa? O certo é que funcionava. Até a mulher do prefeito lá chegou, estado lastimável, uma angústia reverberava em seu rosto. Minha mãe conversou com ela e pediu que fizesse uma coisa: trocasse a raiva pelo amor, a vingança pelo perdão.

Você tem muito ódio em seu coração, minha filha.

Outra coisa, não mais lembrava, receitou sete banhos de cravos com açúcar. Impressionante o jeito como essa mulher voltou oito dias depois, rejuvenesceu vinte anos, leve, sem amargura nos olhos. Trouxe uma considerável quantia em dinheiro, minha mãe não aceitou. No dia seguinte, um vestido verde de presente.

— Presente eu aceito, minha filha. Se é dado de bom coração, não posso fazer desfeita.

Era um vestido lindo, minha mãe vestiu, se ajeitou em frente ao espelho e ficou tão contente... Dançou e riu. Passados uns dias, a mulher mandou materiais de construção da reforma da casa, e um pedreiro. Minha mãe relutou no pensamento, titubeou. — Isso não é dinheiro, é presente, assim como o vestido. — Aceitou. Eram tantas curas, da alma e do corpo, arrastando um médico lá em casa, o vento levou ao longe, essa boa intenção de minha mãe, chegou meio tímido, e minha mãe o convidou a sentar no banco de madeira à sombra da árvore. Um pouco envergonhado, explicou que, apesar de ser médico, de ter feito vários exames, sentia um cansaço imenso, quase não o deixava exercer a profissão. Os exames nada acusavam, já havia tomado vitaminas e nada resolvia. Minha mãe falou:

— Meu filho, desculpe voltar sua palavra, sou uma pessoa sem instrução e o senhor é um doutor formado, mas seu problema é olho.

— Olho?

— Sim, meu filho, olho gordo, inveja, você é esforçado, preto como eu, as pessoas não aguentam ver isso, sei do seu esforço nessa conquista, meu filho, muita batalha, assim como afrontamos o medo e saímos daquele lugar apontado aos de nossa cor de pele, carece ter muita determinação e coragem segurar a dignidade.

— Tem cura?

— Sim, você vai tomar sete banhos de arruda, esfrega a folha na água, coloca um pouco de açúcar; tem resguardo, viu, meu filho.

O médico retornou encantado, já sabia da sua recusa de pagamento, trouxe presente. Perguntou se podia voltar, pois o lugar era muito agradável...

— Claro, meu filho, volte quando quiser.

Hoje, ele é quase um membro da família, passa Natal lá em casa, solução encontrada, minha mãe não arreda pé de passar em sua casa. Uma dessas endinheiradas pagou minha escola, eu era a melhor aluna da sala, aproveitei ao máximo a oportunidade. Sonhava, enquanto via o dia seguinte virar véspera, em dar uma vida decente à minha família. Foi quando amadureceu a ideia de escrever a história verdadeira, a atual foi inventada, perversamente, com a intenção de manter a maioria da população submissa, escravizada. Minha mãe assistiu à minha formatura na universidade. Candidatei-me a uma vaga de trabalho, escola particular, o salário era bom, podia ajudar minha mãe. No dia seguinte seria a entrevista, arrumei a roupa de véspera, à noite sonhei, eu estava toda de branco com um vestido brocado muito bonito. Acordei mais cedo, precisava passar a ferro a roupa do sonho. Fui selecionada em primeiro lugar. Consegui interromper o trabalho de minha mãe e puxar meus irmãos no ingresso à universidade. Continuei com os estudos e escrevendo a história verdadeira do Brasil. Minha mãe faleceu anos depois, na época eu fazia doutorado em outro país, ela mandou me chamar urgente, disse apenas estar a minha espera, estava partindo, sua missão aqui na terra havia acabado. Cheguei o mais rápido possível. Ela me disse que a terra foi criada por uma mulher, o nome dela é Odudua, por isso nós somos fortes e sensíveis, só uma mulher é capaz de criar algo tão belo como a vida na terra. Então ela tirou de baixo do lençol uma cabaça e me entregou, disse:

— Essa cabaça simboliza o útero da terra, o útero da mulher, nós somos sagradas, somos Odudua.

Logo em seguida, sua alma saiu, e eu explodi em lágrimas sobre seu corpo. Afastei-me, deixando a cargo dos irmãos os cuidados burocráticos. Fui de encontro à casa, sob a árvore de Berenice, assim a chamamos depois do episódio do raio, com as mãos cisquei a terra rompendo a noite, ajeitei meu corpo, a notícia correu, pessoas saíram esbaforidas rumo ao hospital, me olhavam com espanto, diziam — Seja forte, se levante. Disse-lhes que fossem, precisava ficar sozinha. Aconchegada à terra, segurei a cabaça, fechei os olhos, a tristeza foi me acalmando, vi minha mãe menina, seu riso contagiante, vi minha mãe mulher na labuta sem nenhum lamento, vi minha mãe curando pessoas usando consolos sem definição, vi lágrimas de gratidão se transformando em flores e ela passando sorrindo acompanhada de seus guias espirituais.

Senti a chuva refrescar meu ser, amolecer a terra, segurei a cabaça junto ao ventre. Parece que dormi e tive um sonho — eu, mulher, sagrada, eu estava grávida, uma menina, Maria seria seu nome. Odudua... Odudua... Odudua.

OXALÁ

Oxalá (também conhecido como Obatalá ou Orixalá) é a divindade responsável pela criação dos seres humanos, ligado também à criação do mundo. É o grande pai do panteão nagô, esposo de Iemanjá ou de Nanã, segundo mitos diversos. Seu temperamento é paciente e obstinado. Desdobra-se em duas principais manifestações: Oxalufã, o velho alquebrado, venerável e majestoso, representado pelo caramujo, e o jovem Oxaguiã, guerreiro altaneiro, patrono da civilização humana, identificado com o camaleão. Sua cor é unicamente o branco, que simboliza a luz, a paz, a pureza, mas também o luto. Oxaguiã, entretanto, pode ter entremeado em seus fios de contas um vidrilho fosco de tonalidade azulada chamado segui.

Homenagem ao professor

Edimilson de Almeida Pereira

A névoa envolve as casas e quem, ainda cansado, dorme. São cinco horas da manhã. Os acontecimentos que virão nesse dia me tiraram o sono. A essa altura da vida, nada deveria me surpreender, porém, o convite de alguns meses atrás fez estremecer a ave cega em meu coração.

Tudo começou quando recebi uma carta da faculdade onde lecionei, por trinta anos, antes de ser obrigado a me afastar por razões nada dignas. Olhei para o convite com inquietação até que Idalina me convenceu a aceitá-lo. "Se o seu exílio foi longo, que importa?", ponderou ela. "Você tinha razão, o monstro cresceu sob as barbas de nossas amizades, infiltrou-se na mente dos bons pensadores. Que estrago não faria nas cabeças desavisadas?" Concordei com Idalina. Eu alertei, sem agredir nem matar, mas alertei sobre o abismo depois da esquina. Não me ouviram e, antes que cortassem as unhas à fera, ela os devorou e me obrigou a partir. Sob ameaça, recolhi livros, fotos, arquivos: me recolhi.

Não sei a idade que tenho, perdi a conta desde que me retirei com Idalina para esse recanto: estamos aqui — há quanto tempo? — enredados entre os assuntos de árvores e bichos. Isolados. Para quem esteve demais entre os humanos, não é difícil entender por que as outras formas de vida preferem se manter distantes deles. Viemos, desde que minha derradeira aula foi uma acusação aos detratores que fizeram do país a sua montaria. Antecipei minha aposentadoria para não perder o amor nem a raiva. Envelheci dentro da velhice: me dispersei como o fumo nos telhados. Desisti e me refiz nesse lugar onde o fim e o princípio lutam pelo mesmo umbigo.

Convivo com poucos vizinhos.

Desde esse alto de morro, não movimento coisa alguma, mas pressinto a tempestade. Sou um cílio nas pálpebras do mundo. Se ele pisca, me recolho. Se ele gira, vou, atravesso seus canais e fronteiras. Nada me prende, mas, sem soberba, mantenho na palma das mãos tudo o que gira ao redor ou vai distante. Minha cabeça inclinada em direção às cortinas não é sinal de que me esqueci de certas cicatrizes. Não. Desdobro-me — um caniço antigo — para dentro das lembranças. O que pode ser recordado vive, coloca a prumo minha coluna, diz ao meu corpo para ir, sem pressa, apoiar-se no bastão, colocar o chapéu e esperar.

As noites brancas, a ilha branca — o sol, esse legado de clareza: tudo me envolve, porque participei de tudo. Se um ramo de *ora pro nobis* se recorda de mim, quando tateia minha língua — se alguém acorda comigo no pensamento —, estou vivo. Não gosto de ser assaltado pelos acontecimentos a não ser que pretenda eu mesmo me transformar em algum deles. Deixo que isso suceda, às vezes: é como estar preso ao redemoinho — indo, sempre mais rápido, até perder a consciência. E finalmente ser. Porém, o redemoinho se desfaz. Se estou nele, me perco e me detesto por essa imperícia. Minha intenção é escapar desse vórtice para olhar à volta, acima e abaixo sem me comprimir como um nódulo. Chamei tudo isso de pedagogia do infinito. Para vivê-la, me fiz um professor sob as árvores, alguém que alugou o próprio amor à reflexão.

O convite da faculdade sulcou as fibras da mesa. Desde que o aceitei, senti as ondas se levantarem em meu corpo. O desprezo que lhe direcionei se transformou em vontade de resolver com urgência o compromisso. Eu deveria aguardar pelo motorista, sairíamos cedo para chegarmos à faculdade no final da tarde.

Não posso negar que o meu lado sombrio se alegrou. A chance de rever meus detratores punha sal em minha língua. Não é deixando o medo sob o alguidar que o inimigo desaparece de nossa cabeça. Antes de saudar o condutor, me despedi de Idalina. Escutei o seu conselho em tom de estímulo ou de advertência, não sei ao certo: "Balance, mas não se quebre, meu amor. O mundo ainda tem o tamanho do seu manto".

Sentei-me no banco de trás. Motor ligado, o condutor acelerou. De início, não trocamos palavras. Isso aconteceu mais tarde, depois de uma curva com as margens tomadas pela vegetação alta. O motorista reduziu bruscamente a velocidade, a tempo de não atropelar um casal com roupas coloridas e cabelos longos, que pedia carona. Acenei-lhes com um gesto de consentimento. Entraram no carro e foi agradável sentir neles o perfume da rebeldia. Riam que se riam — ideias flamejantes — com a alegria de quem se chama Chantal e Arco-íris e floresce em si todos os sexos.

O motorista me disse em confissão: "são eles". Sim, bastava que fossem eles. Sorrimos também, alheios à nossa própria reserva de bons conselhos. Por conta dessa parada, teríamos que nos apressar, ponderou ele. Com todos a postos, o carro rodou veloz. O vento entrando pela janela pôs nossos cabelos nas nuvens: estávamos jovens, velozes e sem tempo. A paisagem nos interessava cada vez menos. Era como se tivéssemos entrado por outra senda. Nessa viagem por dentro da viagem não se distinguia o que era o alto e o baixo, o corpo e a sombra. Sorríamos, menos ferozes do que a rinha, lá fora, nos obrigava a sermos. Assim livres — talvez fosse essa a razão de estarmos fora do mundo —, não sentíamos necessidade de nos perguntarmos uns sobre os outros.

Chantal e Arco-íris cantavam, mas o que ouvíamos era o sussurro do vento. Eu e o motorista ainda éramos dois homens presos aos nossos compromissos. Aquela viagem sem roteiro nos aterrorizava: até que nossas obrigações fossem cumpridas, tudo era uma liberdade que não nos pertencia.

Em algum momento, fomos novamente trazidos à rispidez da estrada. Um tronco no caminho fez o motorista reduzir a velocidade e parar. Receosos, eu, Chantal e Arco-íris saltamos para o asfalto. Os carros rolavam pela outra pista, no sentido contrário, sem prestarem atenção em nós. Arrastamos o tronco, enquanto o motorista se mantinha ao volante. Antes que voltássemos aos nossos lugares, ouvimos um ruído. Vinha de algum ponto na mata. O motorista estacionou no acostamento. Descemos a encosta. Ríamos, apesar da atmosfera incerta. Eu, mais que os outros, ria porque na minha idade um degrau é um abismo.

O que se pode esperar de um velho escorregando por um barranco, entre bambus e arranha-gatos? Descemos amparados uns pelos outros. No fundo, encontramos um homem magro. Ele tinha ferimentos leves, mas a teia de ramos o impedia de se levantar. Chantal, Arco-íris e eu fizemos uma corda com os braços enlaçados. Logo apareceu o motorista e, juntos, conseguimos içar o homem daquele enclave. A roupa escura contrastava com o seu rosto pálido e magro. Sofria-se sob aquela armadura, pensei.

Os olhos de Chantal ardiam e me chamavam para um céu emplumado. Ela, Arco-íris e o Corvo — dei-lhe esse nome porque era indizível o que se via através dele — se apertaram no banco de trás do carro. Eu podia observá-los pelo retrovisor sem que me notassem — essa mania de quem imagina os outros como seus filhos. E se doa, enquanto outros passos à volta, sem interesse pelo diálogo, tornam estranha nossa vontade de dançar. Atrasados por mais esse incidente, sentimos as rodas desobedecendo aos radares que se disfarçam, como os lagartos, entre a folhagem e as pedras.

Quando avistamos a cidade — um ninho iluminado na encosta do vale —, nos demos conta de que a viagem demorou mais do que o planejado. Uma sombra cobriu as árvores e a estrada. Antes de começarmos a descida, um estouro fez o carro balançar. O motorista segurou com força o volante, mas a máquina reagiu aos controles, debatendo-se na escuridão. Fomos jogados para a margem da pista. O touro de metal nos vencera: presos dentro dele, ficamos imóveis, como ele próprio, exaustos.

O motorista saltou e anunciou seguro de si, agora que o tremor deixara suas mãos: "Batemos em alguma coisa, o pneu estourou. Vai demorar para trocar". Dito isso, acendeu os faróis. Chantal e Arco-íris ligaram o rádio e começaram a dançar. Tinham se multiplicado: eu os via fortes em seus corpos; ao mesmo tempo, suas silhuetas se diluíam como uma cortina de vagalumes. Embora seus corpos se tocassem, não se ouvia nenhum som. Os deuses não estavam ali, mas sua felicidade sim, no pó da estrada: os deuses, enfim, se quebravam. Sua força não era maior que um gesto de gente sem norte, amando-se ao ar livre.

Enquanto esperávamos, o Corvo e eu nos afastamos do platô onde o carro permanecia cercado por vultos que dançavam. Com muito custo soube do Corvo que sua companheira estava no hospital. A doença era irreversível. O Corvo iria vê-la, quem sabe, pela última vez, por isso viera de luto. À luz dos faróis, seu rosto sob o capuz se tornara mais frio, os traços retos formavam arestas que, em algum momento, teriam cedido ao afago de outra mão. Algo se movia por dentro naquele parceiro de viagem; mas, por fora, era de gelo aquele encaixe de ossos longos. Exceto os olhos, que giravam ávidos, inquiridores — lia-se neles um desejo secreto: a busca da infância, quem sabe.

Disse-lhe — para não tornar a espera desoladora — que tinha comigo um tabuleiro de xadrez. Era um presente de Idalina, que me convencera a jogar. Segundo ela, diante do risco de nos perdermos, só nos resta apostar. Ele quase sorriu e aceitou, com uma condição: eu ficaria em silêncio e ele comentaria os lances que fizéssemos. Afirmou, em poucas palavras, que esse era um hábito seu, comentar e anotar os movimentos. Porém, a cada lance, o Corvo nada dizia. Não gostei dessa surpresa e me senti enganado. Ele agia como se esperasse uma traição ou um deslize para me acusar. Parecia uma guerra sem feridos.

O jogo se alongava, perdemos a noção do tempo.

Precisávamos um do outro para vencermos o tédio, enquanto o motorista trocava o pneu. Sob esse motivo, se escondia outro como os espinhos dentro de um fruto. Ali, no limiar de um pequeno acidente, disputávamos grandes coisas: o lugar de nossas almas e as almas sem lugar que nos tomam por amigos ou parentes. Nos lapsos dessa contenda, vi Chantal subindo e caindo como um raio entre os braços do Arco-íris. Porém, ele não a prendia, soltava-se de si mesmo e deslizava em direção à borda da mata. Olhando para ele, pensei que alguém pode ser feliz mesmo sob a ameaça da morte. E é essa coragem que desnuda a violência.

Antes que o motorista terminasse o reparo do carro, o Corvo segurou minha mão sobre o tabuleiro: "Preste atenção", me disse. "A diferença entre você e eu está naquilo que fazemos com a nossa vontade. Não queiras morrer pelo que me pertence". Seus olhos frios não me perturbaram, antes me levaram de volta a um tempo em que eu também ameaçava a ordem das coisas. Afastei bruscamente sua mão ressequida.

Um ruído estremeceu a linha da mata — apesar de isolados, não podíamos fugir à trama em que nossas vidas estão embaralhadas. Um pouco mais, teríamos revirado o tabuleiro e lutado. Mas não o fizemos. Todos daquela súbita caravana estávamos enlaçados. Para o bem e para o mal, era isso o que nos dava prazer e raiva, mas também entendimento. Olhar para o Corvo era olhar para mim mesmo. Era ver nele a minha alegria e o meu desamparo. Talvez ele visse em mim algo semelhante. Estávamos um no outro, porém apartados.

Sem que eu percebesse, o motorista puxou-me pelo braço: podíamos partir. A noite já não era tão escura e o que nos afastava também nos unia. Aceitamos com alívio a ordem para voltarmos ao carro. Pisquei ao motorista. Eu sabia o que fazer e aonde ir, mas sem ele eu não poderia fazer nada nem chegar a lugar algum. Àquela altura não me interessava vigiar a libélula ou o corvo às minhas costas. Até a cidade, nosso destino estava em suas mãos. Vi quando girou o dial para uma canção helicoidal. Adormecemos cansados, menos da viagem do que da felicidade entrevista nas trevas.

Não sei quanto tempo descemos ou subimos em meio à névoa e à música. O motorista me despertou com um toque nos ombros. Os outros se refizeram aos poucos, tirando o sono dos braços e das pernas. Estávamos a poucos metros da faculdade. Arco-íris e Chantal saltaram para a rua. O vento entrou no carro enquanto os dois me beijaram apressados. Logo os perdi de vista, como um sopro num sonho. Estava ainda suspenso, quando senti o Corvo abrindo minha porta. Ele sorria. Ou quase. Estendeu-me a mão sem dizer nada. Intuí que me agradecia e fiz o mesmo. Percebi minha sombra se distanciando, à medida que ele se afastava. Me senti bem e órfão.

Antes que me atrasasse, o motorista me alertou: "Professor, seu bastão e seu chapéu. Vejo que se amarrotou um pouco." Não tem importância, eu lhe disse, alisando a roupa, branca por escolha de Idalina.

Caminhamos alguns passos e alcançamos o prédio. Havia vozes lá dentro: o anfiteatro da faculdade sabia os momentos importantes de minha vida. À porta, o motorista me deixou, indicando em voz baixa que me aguardaria. Fui — levado pelo diretor. Entramos por uma porta lateral, assentei-me na primeira fila. Senti as mãos afagando o meu ombro e moldando um corpo que não era apenas o meu. Crescemos fora de nós, pensei.

O diretor subiu ao palco, convidou outras pessoas, que o acompanharam. Havia flores e suor em torno de tudo. O diretor recordou passagens de quem eu fui ou imaginavam que eu fora. Sob aplausos, fui conduzido para ocupar um lugar à mesa. Ainda não era o momento de lhes dizer que um homem com três pernas e algumas ideias pode andar sobre as águas. Deixei-me levar, porque assim se aprende a velocidade de quem nos ampara. Da plateia ao palco foi um longo percurso, com a luz esbatendo no meu corpo. Talvez eu dançasse como Chantal ou vestisse a colorida manta do Arco-íris — sim, mas também me via teso, angular como um corvo.

O diretor terminou a apresentação e me abraçou.

Os olhos dos presentes me atravessavam e se detinham em algo semelhante ao minuto que precede uma eclosão. Pressenti que se pressionasse o ar, o anfiteatro explodiria. Estendi ao máximo essa sensação. Algumas cadeiras pareciam vazias, porém, muitos conheciam o motivo daquelas ausências e celebravam o retorno de antigos companheiros. Eu me sabia órfão, estava feliz. E o gêiser explodiu na mais demorada de minhas saudações: "Prezadas, prezados, vamos começar tudo novamente."

SOBRE O ORGANIZADOR E OS AUTORES

O organizador

MARCELO MOUTINHO nasceu no Rio de Janeiro (RJ), em 1972. É escritor e jornalista. Autor dos livros *A lua na caixa d'água* (Malê, 2021), *Rua de dentro* (Record, 2020), *Na dobra do dia* (Rocco, 2015), *A palavra ausente* (Rocco, 2011), *Somos todos iguais nesta noite* (Rocco, 2006), e do infantil *A menina que perdeu as cores* (Pallas, 2013), entre outros. Com *Ferrugem,* lançado pela editora Record, conquistou o Prêmio Clarice Lispector da Fundação Biblioteca Nacional (melhor livro de contos de 2017). Organizou a seleta de ensaios *Canções do Rio — A cidade em letra e música* (Casa da Palavra, 2010) e antologias como *O meu lugar* (com Luiz Antonio Simas, Mórula, 2017), *Contos sobre tela* (Pinakotheke, 2009), *Dicionário Amoroso da Língua Portuguesa* (Casa da Palavra, 2006) e *Prosas cariocas* (com Flávio Izhaki, Casa da Palavra, 2004). Atualmente, cursa o mestrado em Bens Culturais e Projetos Sociais no Centro de Pesquisa e Documentação de História Contemporânea do Brasil (CPDOC) da Fundação Getúlio Vargas.

Os autores

AIDIL ARAÚJO LIMA nasceu em 1958 e vive desde pequena na cidade de Cachoeira (BA). Cursou Filosofia e Jornalismo. É autora do livros *Páginas rasgadas* (Segundo Selo, 2020), *Mulheres sagradas* (Portuário Atelier Editorial, 2017) e participou de antologias como *Olhos de azeviche* (Malê, 2020), *Jubileu de Ouro de Mogi das Cruzes* (Secretaria de Cultura de Mogi das Cruzes, 2017), *Profundanças II* (Voo Audiovisual, 2017) e *Cartografia do Mapa da Palavra* (Secretaria de Cultura do Estado da Bahia, 2016).

CARLOS EDUARDO PEREIRA nasceu no Rio de Janeiro (RJ), em 1973. *Enquanto os dentes* (Todavia, 2017), seu romance de estreia, foi semifinalista do Prêmio Oceanos e finalista do Prêmio São Paulo de Literatura 2018.

EDIMILSON DE ALMEIDA PEREIRA nasceu em Juiz de Fora (MG), em 1963. Publicou os livros de ensaios *A saliva da fala: notas sobre a poética banto-católica no Brasil* (2017) e *Entre Orfe(x)u e Exunouveau: análise de uma poética de base afrodiaspórica na literatura brasileira* (2017), pela Azougue Editorial; as seletas de poesias *Caderno de retorno* (Ogum's Toques, 2017), *E* (Pautá,

2017), *Poesia + antologia 1985-2019* (Editora 34, 2019); e dois títulos na área da literatura infantojuvenil: *Histórias trazidas por um cavalo marinho* (Paulinas, 2005) e *Poemas para ler com palmas* (Mazza, 2017).

ELIANA ALVES CRUZ nasceu no Rio de Janeiro (RJ), em 1966. É autora do romance *Água de barrela* (Malê, 2018), saga que ganhou o Prêmio Oliveira Silveira de 2015, da Fundação Cultural Palmares/Ministério da Cultura, e menções honrosas no Prêmio Thomas Skidmore 2018, do Arquivo Nacional, e da Brown University. Seu segundo romance, *O crime do cais do Valongo* (Malê, 2018), foi semifinalista do Prêmio Oceanos 2019 e escolhido como um dos melhores do ano de 2018 pelos críticos do jornal *O Globo*. Em 2020, lançou o romance *Nada digo de ti, que em ti não veja* (Pallas).

FABIANA COZZA nasceu em São Paulo (SP), em 1976. É cantora e jornalista. Ganhou dois Prêmios da Música Brasileira (2012 e 2018) e tem sete CDs lançados. Em 2018, publicou o livro de poemas *Álbum duplo* pela editora Pedra, Papel, Tesoura. "Xangôs" é seu conto de estreia.

GEOVANI MARTINS nasceu no Rio de Janeiro (RJ), em 1991. Publicou os primeiros contos em 2013, numa antologia organizada pela Festa Literária das Periferias (Flup). Em 2018, lançou *O sol na cabeça*, seu livro de estreia, pela Companhia das Letras. Com o trabalho, conquistou o Prêmio Rio de Janeiro de Literatura. Escreve quinzenalmente no *Segundo Caderno*, do jornal *O Globo*.

GIOVANA MADALOSSO nasceu em Curitiba (PR), em 1975. É autora de *A teta racional* (Grua, 2016), volume de contos finalista do Prêmio Literário Biblioteca Nacional, e dos romances *Suíte Tóquio* (Todavia, 2020) e *Tudo pode ser roubado* (Companhia das Letras, 2018), este finalista do Prêmio São Paulo de Literatura.

GUSTAVO PACHECO nasceu no Rio de Janeiro (RJ), em 1972. Traduziu para o português obras de Roberto Arlt, Julio Ramón Ribeyro e Patricio Pron. É codiretor da revista *Granta em língua portuguesa* e colunista da revista *Época*. É diplomata, e trabalhou em Buenos Aires, na Cidade do México, em Brasília e em Quito, onde vive atualmente. *Alguns humanos* (Tinta da Chima, 2018), seu primeiro livro, ganhou o Prêmio Clarice Lispector da Fundação Biblioteca Nacional (melhor livro de contos de 2018) e foi finalista dos prêmios Jabuti e Oceanos.

ITAMAR VIEIRA JUNIOR nasceu em Salvador (BA), em 1979. É autor da coletânea de contos *A oração do carrasco* (Mondrongo, 2017), finalista do Prêmio Jabuti de Literatura. Tem contos traduzidos e publicados em francês, inglês e espanhol. Com o romance *Torto arado* (Todavia, 2019), venceu os prêmios LeYa (2018), Jabuti (2020) e Oceanos (2020). Seu mais recente trabalho é *Doramar ou a Odisseia*, livro lançado pela Todavia em 2021.

JEFERSON TENÓRIO nasceu no Rio de Janeiro (RJ), em 1977. Radicado em Porto Alegre (RS), é doutorando em Teoria Literária pela Pontifícia Universidade Católica do Rio Grande do Sul (PUCRS). Estreou na literatura com *O beijo na parede* (Sulina, 2013), eleito o livro do ano pela Associação Gaúcha dos Escritores (AGES). Em 2020, lançou o romance *O avesso da pele* (Companhia das Letras). Além disso, teve textos adaptados para o teatro. Seus contos foram traduzidos para o inglês e espanhol. É autor também do romance *Estela sem Deus* (Zouk, 2018).

JULIANA LEITE nasceu em Petrópolis (RJ), em 1983. Seu primeiro romance, *Entre as mãos* (Record, 2018), recebeu o Prêmio Sesc de Literatura 2018, o Prêmio da Associação Paulista dos Críticos de Arte (APCA), foi semifinalista do Prêmio Oceanos e finalista dos prêmios Jabuti, São Paulo de Literatura e Rio de Literatura. Teve os direitos vendidos para o cinema e está sendo traduzido para o francês. Juliana integra a antologia *14 novos autores brasileiros,* organizada pela escritora Adriana Lisboa, e em 2018 foi selecionada para a residência artística na revista de arte contemporânea *Triple Canopy* (NY). É graduada em Comunicação Social e mestre em Literatura Comparada pela Universidade do Estado do Rio de Janeiro (Uerj).

LUISA GEISLER nasceu em Canoas (RS), em 1991. É escritora, tradutora e mestre em Processo Criativo pela National University of Ireland. Escreveu, entre outros, *Luzes de emergência se acenderão automaticamente* (Alfaguara, 2014), *De espaços abandonados* (Alfaguara, 2018) e *Enfim, capivaras* (Seguinte, 2019). Foi duas vezes finalista do Jabuti e duas vezes vencedora do Prêmio Sesc de Literatura, e conquistou também o Prêmio Açorianos de Narrativa Longa e o APCA de Narrativa Infanto-Juvenil. Tem textos traduzidos em mais de 15 países.

MARCELINO FREIRE nasceu em Sertânia (PE), em 1967. Vive em São Paulo desde 1991. É autor, entre outros, de *Contos negreiros* (Record, 2005), vencedor do Prêmio Jabuti, e do romance *Nossos ossos* (Record, 2013), que conquistou o Prêmio Machado de Assis. É também produtor cultural, sendo criador e curador da Balada Literária, que acontece anualmente em São Paulo desde 2006. Em 2021, com o livro *Ossos do ofídio,* de sua autoria, inaugurou o selo Baladeyra.

MIRIAM ALVES nasceu em São Paulo (SP), em 1952. É bacharel em Serviço Social e integrou o Quilombhoje Literatura de 1980 a 1989. Tem poemas e contos publicados nos *Cadernos Negros* e lançou seis livros, sendo o primeiro *Momentos de buscas* (independente), de 1983, e o mais recente, o romance *Maréia* (Malê), de 2019.

NEI LOPES nasceu no Rio de Janeiro (RJ), em 1942. É escritor publicado desde 1981, tendo a vertente ficcional de sua obra literária toda criada a partir de sua vivência de carioca, sambista e suburbano. Nela, destacam-se os romances *O preto que falava iídiche* (2018), que foi finalista do Prêmio Oceanos; *Rio Negro, 50* (2015); *Nas águas desta baía há muito tempo — Contos da Guanabara* (2017); e *Agora serve o coração* (2019), todos pelo selo Record. É também autor de obras de referência, como *Kitábu, o livro do saber e do espírito negro-africanos* (Senac Rio, 2005).

PAULA GICOVATE nasceu em Campos dos Goytacazes (RJ), em 1985. Formada em Letras/Formação de escritor, na PUC-Rio, escreveu roteiros de programas como *Esquenta* (TV Globo) e *Desnude* (GNT) e é criadora da série *Só Garotas,* do Multishow. É autora de *Este é um livro sobre amor* (Guarda-Chuva, 2014*), Sobre o tudo que transborda* (Multifoco, 2009) e *D4* (Multifoco, 2009). Em 2015, foi selecionada para uma residência de escrita criativa em Barcelona, na Espanha, e em 2017 foi uma das autoras brasileiras convidadas a participar da Feira Internacional do Livro de Guadalajara, no México.

RODRIGO SANTOS nasceu em São Gonçalo (RJ), em 1976. É autor dos livros *Carcará* (contos, Malê, 2021), *Se o medo tivesse um som* (noveleta, Mórula, 2020), *Macumba* (romance, Mórula, 2019), *Brechó de almas* (poesia, Quártica Premium, 2015), *Mágoa* (romance, Fábrica de Livros / Senai, 2010) e *Máscaras sobre rostos descarnados* (poesia, Muiraquitã, 2003). Participou de antologias publicadas no Brasil e na França.

SOCORRO ACIOLI nasceu em Fortaleza (CE), em 1975. Venceu o Prêmio Jabuti com o livro *Ela tem olhos de céu* (Gaivota, 2012). Seu romance *A cabeça do Santo,* resultado do doutorado em Literatura, foi publicado no Brasil pela Companhia das Letras, traduzido para o inglês pelas editoras Hot Key Books (Inglaterra) e Delacorte Press (Estados Unidos) e na França pelo selo Belleville. Em janeiro de 2015, foi uma das 30 artistas convidadas pela Bill & Melinda Gates Foundation para o projeto *Art for Saving a Life,* com o texto *Drops from a hero.* A edição americana *The head of the Saint* foi finalista do Los Angeles Times Book Prize 2017 e escolhida como um dos 50 melhores livros de 2017 pela New York Public Library.

Esta obra foi composta pela BR75 texto | design | produção em Arno Pro
impressa pela OPTAGRAFl, sobre papel Pólen Bold 90g
para a Editora Malê, em janeiro de 2025.